Klaus-D
mit ~~Jörg Bahn~~

Das Herz muss voller sein
als die Hose

Handball ist sein Leben

Copyright: © 2020 Klaus-Dieter Petersen & Jörg Lühn
Umschlag & Satz: Erik Kinting – www.buchlektorat.net
Fotos: Claus Bergmann, Lutz Bongarts, Sascha Klahn, Jörg Lühn,
Laci Pereny, Werner Rzehaczek.

Verlag und Druck:
tredition GmbH
Halenreie 40-44
22359 Hamburg

978-3-347-17068-1 (Paperback)
978-3-347-17069-8 (Hardcover)
978-3-347-17070-4 (e-Book)

Bibliografische Information der Deutschen Nationalbibliothek:
Die Deutsche Nationalbibliothek verzeichnet diese Publikation in
der Deutschen Nationalbibliografie; detaillierte bibliografische
Daten sind im Internet über http://dnb.d-nb.de abrufbar.

Anmerkungen in eigener Sache

Plötzlich ist es soweit. Schreib' doch mal ein Buch, heißt es zu mir. Die Idee ist gut. Aber wo anfangen und vor allem wie aufhören? Die Erlebnisse sind mannigfaltig. Aber ich will keinen Rundumschlag machen. Für mich stehen die Erlebnisse und die Emotionen im Vordergrund. Für die Arbeit und Umsetzungen meiner umfangreichen Aufzeichnungen habe ich den Journalisten Jörg Lühn gewinnen können. Einen Sportreporter, der den Handball sehr gut kennt und mich bei vielen Spielen live erlebt hat. Nach unseren langen Gesprächen hat er die Archive durchforstet und die Details sehr zu meiner Zufriedenheit niedergeschrieben.

Der Handball lässt mich seit meiner Kindheit nicht los. Hier erzählen wir autobiografisch meine Geschichte von der Pike auf. Manche sagen, ich bin ein Star. Das mag sein. Aber wenn das stimmt, dann einer zum Anfassen. Jeder kann immer zu mir kommen und bekommt eine Antwort auf seine Fragen. Denn genaugenommen bin ich nur ein ganz normaler Mensch. Ich habe immer versucht, mit einer profihaften Einstellung vorweg zu gehen, für den Sport zu leben und auf dem Spielfeld alles zu geben. Ich wünsche mir, dass dies vielen Nachwuchskräften der nachfolgenden Generationen als Vorbild dient.

Mein Leitbild kommt übrigens nicht aus der Handballhalle, sondern aus dem Segelsport. Hier heißt es: Jeder ist Kapitän seines Lebens und jeder kann immer selbst entscheiden, ob er auf das offene Meer hinausfahren will. Dort können sowohl Sonnenschein als auch Sturm warten. Es gibt natürlich die Möglichkeit, im sicheren Hafen nur Ausschau zu halten. Ich wollte immer auf die Weltmeere des Handballs hinaus, mich gegen Wind und Wellen behaupten.

Dafür hat es sich gelohnt hart zu arbeiten, und es lohnt sich, das Ziel der harten Arbeit in der Trainerlaufbahn weiter zu verfolgen.

Ich bin dem THW Kiel zu großem Dank verpflichtet. Danke, dass mich Uwe Schwenker 1993 aus Gummersbach geholt hat. Uwe hat es eben schon damals gewusst: Die Offensive gewinnt Spiele, die Defensive gewinnt Meisterschaften. Danke an meinen früheren Trainer Noka Serdarušić für die unglaublichen 14 Jahre in Kiel. Ich bin gerne einer seiner Spieler gewesen und habe selbst als sein Co-Trainer noch unfassbar viel lernen dürfen. Heute bin ich selbst Jugendkoordinator beim THW Kiel und möchte den jungen Zebras zu ihren ersten Sprüngen verhelfen. Ein Dankeschön geht außerdem an den Deutschen Handball Bund (DHB). Erst bin ich nur ein einfacher Nationalspieler geworden, später darf ich sogar die Auswahl als Kapitän anführen. Von allen Trainern, die dort in der Verantwortung standen, habe ich ganz viel mitgenommen.

Natürlich danke ich zudem meinen Eltern. Beide haben mir den Weg gezeigt, den ich schließlich gegangen bin. Dass mein Vater und meine Mutter mich noch dazu auf vielen Turnieren und bei Spielen begleitet haben, erfüllt mich mit Stolz.

Euer Pitti

Ein Goldfisch namens Pitti
(von Uwe Schwenker)

Zu Beginn der 90er Jahre wurde in Kiel der Grundstein für die späteren Erfolge gelegt. Im Jahre 1990 gelang dem damaligen THW-Manager Heinz Jacobsen mit der Verpflichtung des schwedischen Weltmeisters und späteren Welthandballers Magnus Wislander ein echter Transfercoup. Damit war ein erster wichtiger Baustein für den Aufbau einer Meistermannschaft bis hin zu der beispiellosen Erfolgsgeschichte, die der THW Kiel schreiben sollte, gelegt.

In den beiden folgenden Bundesligaspielzeiten wurden die beiden Außenspieler Christian Scheffler vom TSV Ellerbek und Martin Schmidt von der SG Bremen-Ost verpflichtet und vom VfL Bad Schwartau kam Rückraumspieler Thomas Knorr. Die entscheidende Weichenstellung erfolgte aber abseits des Spielfeldes. Im Jahr 1992 wurde die THW Kiel Handball-Bundesliga GmbH & Co KG gegründet und die Bundesliga-Mannschaft des THW Kiel vom Mutterverein Turnverein Hassee-Winterbek Kiel e.V. ausgegliedert. Im gleichen Jahr beendete ich meine Spielerkarriere und wechselte auf den Manager-Posten.

Mit vereinten Kräften gelang es den neuen Gesellschaftern Dr. Georg Wegner, Willi Holdorf, Erhard Bartels, Jochen Carlsen, Dieter Hein und mir, die fehlenden Puzzlestücke mit Trainer Noka Serdarušić sowie Kreisläufer und Abwehrspezialist Klaus-Dieter Petersen für den THW Kiel zu verpflichten. Dies sollte der Beginn einer bis heute andauernden, einmaligen und vorbildhaften Erfolgsgeschichte sein.

Bei der Verpflichtung von Klaus-Dieter „Pitti" Petersen spielten uns allerdings auch glückliche Umstände in die Karten, wollte doch seine damalige Freundin Denise unbedingt Meeresbiologie studieren. Dieser Studiengang wurde seinerzeit aber lediglich in Bochum und eben an der Christian-Albrechts-Universität in Kiel angeboten. Zudem wollte „Pitti" gerne mit Nationalmannschaftskollege Jan Holpert zusammenspielen, der damals noch in Milbertshofen unter Vertrag stand, aber bereits mit Flensburg in aussichtsreichen Verhandlungen war.

Wir so oft in späteren Jahren standen wir einmal mehr in Konkurrenz mit unserem Nachbarn Flensburg. Mit der Verpflichtung von Noka Serdarušić als neuen Trainer und der Absage von Jan Holpert an Flensburg war der Weg für die Verpflichtung von „Pitti" dann aber frei. Es sollte sich zeigen, dass es für beide Seiten eine gewinnbringende und wegweisende Entscheidung war.

Das unmittelbar nach „Pittis" Vertragsunterzeichnung beim THW Kiel der TSV Milbertshofen Konkurs anmelden musste und Jan Holpert dann doch nach Flensburg wechselte, war eine Fügung des Schicksals und sollte an dieser Stelle nicht unerwähnt bleiben.
Auch im Rückblick erweist sich die Verpflichtung von Klaus-Dieter Petersen noch als absoluter Glücksfall für den THW Kiel. Denn Pitti brachte das Sieger-Gen mit nach Kiel.

„The winner takes it all and second place is the first loser." Dieser Umstand trifft auf viele Entscheidungen im Sport auf eindrucksvolle Weise zu. Es ist eine wahre und zugleich sehr harte Erkenntnis. Die Differenz zwischen dem Sieger und dem Zweiten ist maßlos. Mag die Leistung des Zweiten – des Ersten nach dem Sieger – noch so herausragend oder minimal sein, in der Endabrechnung und der medialen und öffentlichen Wahrnehmung bleibt dieser Abstand Ehrfurcht gebietend schroff. Es erscheint ungerecht nach 34 Spieltagen, bei Punktgleichheit, nur aufgrund des besseren Torverhältnisses, den Meistertitel und damit sämtliche Aufmerksamkeit auf den Sieger zu fokussieren. Aber es ist über jede Rationalität erhaben und entspricht der Erfahrung und der allgemeinen Wahrnehmung. Da mag die nachgeordnete Leistung noch so bemerkenswert, die Differenz zum Sieger noch so minimal sein. Geschichte schreibt nur derjenige, der am Ende die Konkurrenz auf die hinteren Plätze verweist.

„Pitti" verfügt über das Sieger-Gen, dass ihn als Sportler zum Gewinner machte. Das hat er an seine Mitspieler weitergegeben und beeinflusste noch spätere Spielergenerationen. Von diesem Sieger-Gen geht eine besondere Kraft aus. Diese Kraft spüren auch Teamkameraden und Gegenspieler. Bis zum heutigen Tage ist Klaus-Dieter Petersen aber eines geblieben: Ein absoluter Teamplayer und stets fairer Sportler und Mensch.

Trotz aller großen Erfolge hat er sich zu keiner Zeit über einen Mit- oder Gegenspieler erhoben oder sich gar lustig gemacht. Ausgenommen bleibt der auch unter Sportkameraden weitverbreitete Flachs. Klaus-Dieter Petersen hat bei aller Härte und Kompromisslosigkeit stets die Leistungen auf und neben dem Spielfeld anerkannt und wusste diese zu würdigen. Auch das macht einen großen Sportler aus. Das hat ihn bis zum heutigen Tage zu einer beliebten, geschätzten und anerkannten Handballpersönlichkeit werden lassen.

Eines steht fest: Dem THW Kiel ist seinerzeit mit Klaus-Dieter Petersen im wahrsten Sinne des Wortes ein wahrer Goldfisch ins Netz gegangen. Bis heute ist „Pitti" eine gern gesehene, anerkannte und facettenreiche Persönlichkeit, die den Handballsport interessanter macht. Dieses Buch ist einem herausragenden Sportler und großartigem Sportsmann gewidmet.

Ich wünsche Ihnen viel Freude beim Lesen und Blättern in diesem Buch. Es lohnt sich.

Ihr Uwe Schwenker

Schwenker war Spieler, Kapitän Trainer und Manager des THW Kiel. Aus der grauen Maus formte er einen Handballclub, dessen Strahlkraft die ganze Republik erreicht. Heute ist er Präsident des Ligaverbandes der Handball-Bundesliga.

Inhalt

Nationalmannschaft Part I

Dieser Moment geht in die Geschichtsbücher ein. Es ist acht Minuten vor 19 Uhr, das Spiel in Ljubljana, in der Hall Tivoli wird abgepfiffen. Deutschland hat den Gastgeber Slowenien am 1. Februar 2004 mit 30:25 bezwungen und ist Handball-Europameister. In der Nachbetrachtung fällt sofort auf: Klaus-Dieter Petersen bildet mit Volker Zerbe einen nahezu unüberwindbaren Block in der Abwehrmitte. Der Begriff von der „weißen Wand" wird geboren. Es ist der erste Titel für den Deutschen Handball-Bund (DHB) seit 1978 – damals wird die Equipe Weltmeister in Kopenhagen. „Diesen EM-Titel schätze ich nicht geringer ein", jubelt Trainer Heiner Brand, damals selbst Spieler im Team von Bundestrainer Vlado Stenzel. Nach der dritten Endspielteilnahme für die Nationalmannschaft in Folge, aber dem ersten Sieg, ist die Gummersbacher Ikone mit dem markanten Schnauzbart aus dem Häuschen. Nach den Niederlagen bei der Europameisterschaft 2002 (31:33 nach Verlängerung gegen Schweden) und der Weltmeisterschaft 2003 (31:34 gegen Kroatien) lässt der Trainer jetzt fast alles über sich ergehen.

Petersen, dienstältester Nationalspieler, setzt von links die Schere an, schneidet „dem lieben Heiner" den ersten Teil der Barthaare von dessen Walrossbart ab. Er fixiert es auf einem Stück Tape, so, als würde er es später einem Museum zur Verfügung stellen können. „Wenn der Bart weg ist, steht doch fest, dass wir Europameister sind", jubelt der 51-jährige Trainer. Nach und nach treten die deutschen Spieler Christian Schwarzer, Volker Zerbe, Daniel Stephan, Stefan Kretzschmar, Markus Baur und Mark Dragunski im Salon Mirjam mit der Schere an. Henning Fritz, Christian Ramota, Carsten Lichtlein, Steffen Weber, Pascal Hens, Jan-Olaf Immel, Christian Zeitz, Torsten Jansen, Heiko Grimm und Florian Kehrmann gehören der jüngeren Fraktion an und halten sich lieber zurück. Sie fürchten die Autorität des Trainers. Aber immerhin: Das Trainer-Denkmal des deutschen Handballs hat sein Markenzeichen zum ersten Mal seit 14 Jahren wieder geopfert. Er ist stolz auf seine Mannschaft, weil sogar die verletzten Spieler Stefan Kretzschmar – im Petersen-Trikot mit der Nummer 9 – und Markus Baur den Weg zum Finale mit dem Auto angetreten sind, um ihr Team leidenschaftlich zu unterstützen. Allerdings bringen auch die Spieler abseits des Handballfeldes Opfer. „Immel und Grimm haben, ich denke rein zufällig, einen Rasierer dabei, und dann ging alles ganz schnell", grinst Petersen. Einige Spieler, darunter Henning Fritz und Klaus-Dieter Petersen, Jan-Olaf Immel und Mark Dragunski scheren sich die Haare ab. Sie wollen ihre Freude in Form von äußerlichen Veränderungen der gesamten Öffentlichkeit präsentieren. In der Folgezeit wird der Flüssigkeitsverlust aus acht Spielen binnen elf Tagen in Rekordmanier bis zum Rückflug am Montagmorgen in einem Kellerclub wieder ausgeglichen. „Nach den Spielen hat uns der Doc die Infusionen verabreicht, jetzt haben wir das selbst in die Hand genommen", lacht Petersen. Dazu böllert lautstarke Musik aus den Lautsprecherboxen. Den Campione-Rufen folgen die Klassiker „Stand up for the champions" und „We are the champions", die die Protagonisten nahezu textsicher über die Lippen bringen. Petersen führt die feierwütigen Heroen an und bestätigt seinen in Kiel erworbenen Ruf als Zeremonienmeister.

Einen Tag später bereiten über 100 Kieler Fans Klaus-Dieter Petersen und den anderen beiden Zebras Christian Zeitz und Henning Fritz vor dem THW-Vereinsheim am Krummbogen in der norddeutschen Landeshauptstadt einen triumphalen Empfang. „Jetzt sind wir endlich aus dem Schatten der 78er heraus", freut sich Abwehrrecke Petersen, stemmt die Kristallvase hoch und zeigt die Barthaare Heiner Brands als Souvenir. Norbert Gansel streicht über das Resthaar Petersens. Der ehemalige Kieler Oberbürgermeister darf das. Seine

Nachfolgerin Angelika Volquartz ist ein wenig zurückhaltender, freut sich aber sichtbar mit den Kieler Jungs. Jetzt soll bei den Olympischen Sommerspielen 2004 in Athen der ganz große Wurf gelingen. Wie nach internationalen Erfolgen oft üblich, wird die große Politik auf die Sportler aufmerksam. Kapitän Petersen und die Nationalmannschaft erhalten noch eine Einladung zu Bundeskanzler Gerhard Schröder. „Den Gerhard kenne ich", hat Petersen immer erzählt. Die Mitspieler wollen es nicht recht glauben. Aber der frühere Jungsozialist Schröder ist tatsächlich ein guter Bekannter von Petersens Großvater Albert Hoff. „Er hat sich zu meinem Opa aufs Sofa gesetzt und dort haben sie gemeinsam Kaffee getrunken", parliert Petersen aus dem Nähkästchen. Nach dem Sieg mit Deutschland ist er einer der Auserwählten, die am Tisch des Kanzlers sitzen dürfen. „Dich kenne ich doch, als du noch ein kleiner Junge warst", soll Schröder gesagt haben. Die laute Lache des Niedersachsen ist im ganzen Raum deutlich zu hören. Petersen nickt und gesteht, dass sie sich eine Weile über die Besuche bei Opa Hoff unterhalten haben.

Aus den Silber-Buben sind nun Brands Gold-Jungs geworden. Endlich wird Handball-Deutschland wieder in der gesamten Öffentlichkeit wahrgenommen. Die Erinnerung an die beiden vergangenen Turniere sind noch so frisch im Gedächtnis. Bei gleich zwei Wettbewerben zuvor landet die Nationalmannschaft auf dem zweiten Platz. „Das sind natürlich bittere Momente, aber bei der Europameisterschaft 2002 in Schweden ist es nicht allein unsere Schuld", erinnert sich Petersen. Florian Kehrmann bringt Deutschland im Finale gegen Schweden 26:25 in Führung. 2:20 Minuten sind noch zu spielen. Petersen und Co verteidigen mit Mann und Maus. Elf Sekunden vor dem Ende erhält Petersen eine Zeitstrafe. Staffan Olsson, sonst ein Teamkollege im Kieler Trikot, gleicht für sein Land aus. Kehrmann erhält den Ball in rasender Geschwindigkeit von Torhüter Henning Fritz und wirft aus der schnellen Mitte

Kiels Ex-Oberbürger-meister Norbert Gansel (rechts) begrüßt den deutschen Handball-Europameister Klaus-Dieter Petersen vom THW Kiel nach seiner Rückkehr aus Slowenien am THW-Vereinsheim in Kiel und streichelt ihm über den kahl rasierten Kopf. Petersen hat die Goldmedaille noch um den Hals hängen und reckt zudem den EM-Pokal in die Höhe.

ins leere Tor der Gastgeber. 14.303 Fans in der Globen-Arena Stockholm halten den Atem an. Plötzlich heißt es, die mazedonischen Schiedsrichter haben das Spiel noch nicht freigegeben. Der vermeintliche Siegtreffer zählt nicht. Die deutschen Spieler und ihr Trainer können es nicht fassen. „Vielleicht haben die unsere Hymne nicht da", vermutet ein verärgerter Petersen. In der Verlängerung sind die Hausherren, zu denen neben Olsson noch die Kieler Bundesligaspieler Stefan Lövgren, Magnus Wislander und Johan Pettersson zählen, zu clever. „Wir gehen jetzt zum Bankett und lassen die Beweihräucherung der guten Schweden vom Europäischen Handball-Verband über uns ergehen", ist Petersen kaum zu beruhigen.

Im Jahr darauf ist die Weltmeisterschaft in Portugal. Gegen Australien bestreitet Petersen sein 300. Länderspiel. Vom DHB gibt's eine Ehrennadel, von der Fernsehanstalt ARD eine Torte. Das Loblied singt der Bundestrainer. „Pitti ist der Mannschaftsspieler schlechthin. Er bringt immer die perfekte Einstellung und Begeisterung mit." Plötzlich steht der Abwehrchef im Mittelpunkt einer Medienrunde und macht das in seiner Art. „In den 299 Länderspielen vorher muss ich keine Interviews geben. Jetzt gleich zehn hintereinander. Seltsam", sagt der Jubilar. Auf dem Weg ins Endspiel lässt sich das deutsche Team nicht aufhalten. Im Finale ist Deutschland lange auf Augenhöhe, verliert aber 31:34. „Ehrlich gesagt, uns kann eigentlich nichts mehr schocken", lässt Petersen die Erinnerungen an 2003 ausklingen.

Vor diesem EM-Gewinn 2004 hat er einige Tiefen erleben müssen. 15 Jahre spielt Petersen inzwischen in der Nationalmannschaft, ist sogar Kapitän. 327 Mal trägt er seither stolz das Trikot mit dem Bundesadler. Im Februar 1989, noch vor Beginn von Petersens Karriere in der Nationalmannschaft, rast der Fahrstuhl mit der DHB-Auswahl in die C-Gruppe hinunter. Das ist im Handball das Kellergeschoss. Nach dem achten Platz bei der B-Weltmeisterschaft in Frankreich geht es für den deutschen Männerhandball nicht mehr tiefer. Ein Wechsel auf der Position des Bundestrainers muss her. Petre Ivănescu, der lange als harter Hund aus dem Ostblock gefeierte Starcoach, bekommt den Stuhl vor die Tür gestellt. Dem *Spiegel* sagt Ivănescu: „Diese Truppe ist eine Falle für jeden Trainer, ich habe mich schlichtweg in ihr getäuscht."

Eine Abrechnung, die Spielern wie Andreas Thiel, Stefan Hecker, Uwe Schwenker, Christian Fitzek, Uli Roth, Jörg Löhr, Jochen Fraatz, Martin Schwalb, Andreas Dörhöfer, Rüdiger Neitzel, Peter Quarti, Frank Löhr, Michael Klemm und Volker Zerbe wie eine Ohrfeige vorgekommen sein muss. Die Handball-Nationalmannschaft verpasst nach zwei Siegen und zwei Niederlagen die Qualifikation für die A-Handball-Weltmeisterschaft in der CSSR 1990. Schlimmer noch: Nach dem 24:30 gegen Dänemark am Abend des 26. Februars und dem damit verbundenen achten Platz findet sich der bundesdeutsche Handball-Stolz in der C-Gruppe wieder. Ivănescu, der nebenher erst noch Bayer Dormagen und später den TV 08

Niederwürzbach in der Ersten Bundesliga trainiert, muss nach 56 Länderspielen mit lediglich 36 Siegen das Amt abgeben.

Auf der Suche nach einem geeigneten Nachfolger läuft es früh auf einen deutschen Kandidaten hinaus. Vor Ivănescu ist Simon Schobel bereits als Nachfolger des einstigen Magiers Vlado Stenzel auf der Trainerbank des DHB gescheitert. In einer seiner letzten Amtshandlungen als Präsident des Deutschen Handball Bundes macht Bernhard Thiele schließlich Horst Bredemeier aus Minden zum Nachfolger. Kurz vor dessen 37. Geburtstag bekommt „Hotti", der schon sieben Jahre Trainer der deutschen Junioren-Nationalmannschaft ist, das Vertrauen ausgesprochen. Der Mann, der zu Beginn seines Arbeitslebens mit dem Fahrrad die Briefe bringt, soll jetzt dem deutschen Handball – nicht mehr und nicht weniger – den Erfolg bringen. Bis 1989 führt der Westfale mit der tiefen und markant-rauen Reibeisen-Stimme, Grün-Weiß Dankersen, TBV Lemgo und TuRu Düsseldorf in die Bundesliga. Zwei Mal ist er schon Trainer des Jahres. Das reicht dem DHB für den höchsten Job im deutschen Handball. „Hotti konnte einen Spieler gut motivieren und die Mannschaft als verschworene Gemeinschaft zum Sieg führen", lobt Petersen. Bredemeier räumt gleich auf. Er macht schließlich Petersen vom VfL Gummersbach zum Nationalspieler. Beim Supercup 1989 sind Frank Arens, Ralf Heckmann, Fynn Holpert, Michael Menzel, Hendrik Ochel, Bernd Roos, Christian Schwarzer und Christian Stoschek weitere Debütanten. Jugend forscht, heißt das Motto Bredemeiers. Zwölf Tage nach dem Mauerfall, der die Grenze zwischen beiden deutschen Staaten öffnet, ist sogar der große ostdeutsche Handball-Bruder noch mit von der Partie. Ein bizarres Schauspiel.

In der Nordsee-Sporthalle in Wilhelmshaven streift Petersen, der gerade erst drei Monate in der Ersten Bundesliga spielt, erstmals das DHB-Trikot über und läuft in einer deutschen B-Mannschaft – so ist es damals üblich – gegen die DDR auf. „Dein Herz muss voller sein als die Hose. Daher habe ich mich sehr auf die Herausforderungen gefreut", beschreibt der Debütant sein Motto. Für den Sport geht die Grenzöffnung offenbar zu schnell, um vor der Zusammenführung beider Staaten ein Team zu bilden. Die Auswahl „von drüben" spielt sogleich mit Trikotwerbung. Auf der Brust steht „Kaufhof". Der DHB sucht mit Opel den richtigen Antriebsmotor. Petersen wirft gegen die DDR ein Tor, ist neben Frank Arens der Beste, verliert aber 18:25. Es ist ein steiniger Weg. Erst im fünften DHB-Einsatz – gegen Finnland – gibt es mit einem 26:15 für ihn den ersten Sieg. Bei der C-Weltmeisterschaft 1990 in Finnland, das laut Bundestrainer Bredemeier ein „Turnier der Bananenweitwerfer" sein soll, misslingt ihm mit seinem Team die Rückkehr auf die große Bühne. Deutschland wird nur Dritter und verfehlt hinter Norwegen und Finnland die Teilnahme für die B-WM 1992.

Aber der nationale Handball wird gerettet. Die Bundesrepublik und die DDR vollziehen die deutsche Einheit. Ohne die eigentlich notwendigen Treppenstufen der C- und B-Weltmeisterschaft fährt der Fahrstuhl die Nationalmannschaft durch den Beitritt des Deutschen Handball Verbandes (Verbund der ehemaligen DDR) zurück auf die große Bühne: „Auferstanden aus Ruinen". Nie hat eine Nationalhymne – es ist die der DDR – eine größere Bedeutung. Das vereinigte Deutschland kann die Qualifikation des ostdeutschen Verbandes übernehmen und setzt sogleich auf die Dienste von Matthias Hahn, Stephan Hauck, Jürgen Querengässer, Uwe Seidel, Holger Winselmann, Jens Kürbis, Andreas Wigrim, Rüdiger Borchardt, Holger Schneider, Jean Baruth und nicht zuletzt Frank-Michael Wahl. Nach der Wende wird aus einem zweitklassigen Team eine erstklassige Mannschaft. „Für mich war es eine große Ehre, mit diesen Spielern international in einer Mannschaft zusammen zu spielen und unser Land zu vertreten", sagt Petersen demütig.

Petersen wird bis zum Ende der Olympischen Sommerspiele 1992 in Barcelona 55 Mal mit dem Adler auf der Brust eingesetzt. Das Ergebnis ist auch für den Gummersbacher mit Platz 10 ziemlich enttäuschend. Nach dem 19:20 gegen die Tschechoslowakei tritt Bredemeier zurück. „Wir konnten als Team nicht mit der Führungsfreiheit umgehen. So sind wir bei Olympia nicht mit 100 Prozent Einsatz bei den Spielen", gesteht Petersen die Mängel ein. Wieder wird ein Jugendtrainer vom DHB zum Nachfolger auserkoren. Armin Emrich übernimmt die Nationalmannschaft, allerdings nur interimsweise, weil Wunschkandidat Arno Ehret noch als Nationaltrainer an die Schweiz gebunden ist. Ehret, der Weltmeister von 1978, geht von Juni 1993 an voran. Dass Petersen mit dem DHB-Team elf Jahre später den europäischen Handballthron besteigen wird, ahnt zu diesem Zeitpunkt noch niemand.

Klaus-Dieter Petersen zeigt stolz den EM Pokal und seine Goldmedaille.

Anfang

Plötzlich ist die sportliche Perspektive eine ganz andere. Klaus-Dieter Petersen ist inzwischen 24 Jahre alt. Er ist im Jahr 1991 nach den Endspielen gegen den Ostmeister SC Magdeburg erster gesamtdeutscher Meister mit dem VfL Gummersbach und hungrig nach weiteren Erfolgen. Petersen wittert die Chance, zwei Fliegen mit einer Klappe zu schlagen. Das Bauchgefühl meldet ein Grummeln, und die sportliche Entwicklung zeigt, dass schon zwei Jahre nach dem Titelgewinn der VfL Gummersbach nicht mehr als erster Club die Hand am Harztopf hat.

Zwar verhandelt der Verein mit einigen Stars aus den neuen Bundesländern sowie Topspielern aus dem osteuropäischen Raum, doch dem Traditionsverein droht das Schicksal anderer namhafter Clubs. „Man hatte in Gummersbach ein bisschen die Zeit verschlafen", kommentiert Petersen in der Gummersbacher Chronik. Im Jahr nach dem Abschied von Trainer Heiner Brand und dem Wechsel von Torhüter Andreas Thiel zu Bayer Dormagen landen die Oberbergischen in der zweigeteilten Bundesliga-Süd nur auf dem sechsten Tabellenplatz. Die Lücke nach dem Umbruch ist zu groß. Der ehemalige Weltklassespieler Hrovje Horvat hat als Brand-Nachfolger ein schweres Amt auf der Trainerposition angetreten. Als es in der Saison darauf nicht besser wird, muss es der älteste der Brand-Brüder, Klaus, ab Ende 1992 wieder richten. Mehr als Platz zehn springt in der inzwischen zusammengeführten Bundesliga jedoch nicht heraus. Für Tradition kann sich niemand etwas kaufen. Sie muss immer wieder mit Leben gefüllt werden.

Petersen hingegen verfolgt seit geraumer Zeit einen anderen Plan. Er trägt sich zunehmend mit dem Gedanken, den VfL Gummersbach nach vier Spielzeiten wieder zu verlassen. Allerdings bringen ihn Überlegungen zunächst überhaupt nicht mit dem THW Kiel in

Berührung. Dennoch möchte der Nationalspieler, der schon auf über 90 Einsätze im DHB-Trikot zurückblickt und dank der Schulung von VfL-Trainer Heiner Brand frühzeitig sein Können in der Abwehr zeigt, aus dem Westen der Bundesrepublik vom VfL Gummersbach zurück in den Norden. Für einen Norddeutschen ist das ganz bestimmt nicht ungewöhnlich. Aber es soll nicht zurück nach Niedersachsen gehen. Weder Hannover, noch der 4. Stadtbezirk Kleefeld, sein Geburtsort, verfügen über einen Handball-Bundesligisten. In der Landeshauptstadt gibt es nach dem Rückzug des Polizei SV Hannover im Januar 1983 längst keinen Erstligisten mehr.

Die Liebe (zum Handball und) zur damaligen Freundin soll an dieser Stelle nicht verschwiegen werden. Denise sieht ihre Zukunft in einem Studium der Meeresbiologie. „Das war nur in Kiel oder in Bochum möglich", erinnert sich Petersen. Bochum besitzt aber ebenfalls keinen Handball-Bundesligisten. Doch ganz in der Nähe hat TuSEM Essen begonnen, Erfolgsgeschichte zu schreiben. Drei deutsche Meisterschaften in den Jahren 1986, 1987 und 1989, drei deutsche Pokalsiege (1988, 1991, 1992) und der Europapokal der Pokalsieger 1989 machen den Club von der Margarethenhöhe in der Arbeiterstadt Essen in Nordrhein-Westfalen zu einer interessanten Adresse. Insbesondere deswegen, weil Petersen ja Nationalspieler und damit längst in den Fokus der meisten Bundesligatrainer und -manager gerückt ist. Wie nah sich Kiel und Essen kommen, zeigt sich an anderer Stelle. Beim Essener Titelgewinn 1987 ist ein gewisser Jóhann Ingi Gunnarsson der Trainer vom TuSEM. Er wechselt ein Jahr zuvor vom THW Kiel, den er zu zwei Vizemeisterschaften in vier Jahren führt, nach Essen. Sofort platziert er sich mit dem Team auf Platz 1 in der Bundesliga und darf sich dabei über die Treffer seines 27-jährigen isländischen Landsmanns Alfred Gislason freuen.

Petersen verhandelt mit Essens Manager Klaus Schorn, hat jedoch noch eine andere Idee. Seit der gemeinsamen Zeit in der Junioren-Nationalmannschaft unter der Regie von Trainer Horst Bredemeier versteht er sich gut mit Torhüter Jan Holpert. Inzwischen ist Bredemeier Nachfolger von Petre Ivănescu als Nationaltrainer. Der Westfale setzt auf die Dienste von Holpert und Petersen im DHB-Trikot. Gut wäre es, wenn beide im Verein ebenfalls zusammenspielen würden. Defensivspezialist Klaus-Dieter Petersen und Torhüter Jan Holpert könnten sich dann noch besser für die kommenden Welt- und Europameisterschaften, möglicherweise sogar für die Olympischen Spiele, einspielen. Holpert will zurück in seine Geburtsstadt Flensburg in Schleswig-Holstein. Allerdings studiert dessen Freundin Michaela in Augsburg. Dem Liebespaar droht eine Fernbeziehung. Für Petersen kommt die Anfahrt aus Bochum nach Essen trotz der günstigen Verkehrsanbindung über den Ruhrschnellweg A40 einfach nicht in Frage. Ein Bauchgefühl.

Stattdessen haben die Verhandlungen mit Flensburg – kurz vor der dänischen Grenze – Fahrt aufgenommen. Die SG wird von Zvonimir Serdarušić – besser bekannt als Noka Serdarušić – trainiert. Aber der nördlichste Bundesligaclub befindet sich jedoch in der ersten Spielzeit nach dem Aufstieg in die Erste Bundesliga in Abstiegsgefahr. „Ich habe meine Zusage für den Fall des Klassenerhalts gegeben", sagt Petersen, der mit Denise nach Kiel ziehen will. „Über die Autobahnen A210 und A7 kann ich schnell nach Flensburg fahren." Das sind nur rund 90 Kilometer. Zur Unterschrift unter den Vertrag kommt es nicht.

Ein ähnliches Ziel verfolgt Jan Holpert, der darüber hinaus mit Kiel in losem Kontakt stehen soll. Er möchte nach drei Jahren in München beim TSV Milbertshofen lieber zurück zur SG Flensburg-Handewitt. Fortan beobachtet das umworbene Duo Petersen/Holpert das Geschehen in Flensburg ganz genau. Beide telefonieren oft. Auf einmal sickert durch, dass Serdarušić in Flensburg entlassen ist. „Hast du das gehört?", fragt Petersen seinen Kumpel Holpert. Der weiß dank der in Schleswig-Holstein lebenden Eltern Bescheid. Dort läuft die Meldung mehrfach am Tag über den ersten deutschen privaten Rundfunksender Radio Schleswig-Holstein (R.SH) immer kurz vor der Kraftrille und immer vor dem Serviceblock um fünf vor halb.

Aber nicht die fünf Niederlagen in Folge und der Absturz auf Tabellenplatz 16 sind Serdarušić zum Verhängnis geworden. Vielmehr wird bekannt, dass der Flensburger Trainer mit Kiels Geschäftsführer Uwe Schwenker Verhandlungen aufgenommen hat. Gäste wollen Serdarušić/Schwenker beim Grünkohlessen in Alt Duvenstedt – einer Gemeinde am Rand der Hüttener Berge im Kreis Rendsburg-Eckernförde in Schleswig-Holstein gesehen haben. Der Buchautor Erik Eggers hat dies erfolgreich recherchiert. Schwenker, der gerade interimsmäßig die Nachfolge von Trainer Holger Oertel beim THW übernommen hat, macht Serdarušić den Job bei den Zebras schmackhaft. Der Kroate unterzeichnet am 8. Februar 1993 einen Zwei-Jahres-Vertrag beim THW. Derweil ist die Bundesligaspielzeit wegen der Handball-Weltmeisterschaft in Schweden unterbrochen. Deutschland belegt dort mit Jan Holpert und Klaus-Dieter Petersen Platz sechs, während sich die Klubs hinter den Kulissen weiter für die kommende Spielzeit ausrichten.

In Flensburg wird Anders Dahl-Nielsen der Nachfolger von Serdarušić. Der Däne kann trotz 13 Punkten in zehn Spielen den regulären Klassenerhalt nicht mehr erreichen. Über Platz 16 kommt die SG Flensburg-Handewitt nicht hinaus. Holpert kann zwar aus mehreren Angeboten wählen, hatte sich allerdings auf einen Verbleib im Süden der Bundesrepublik bereits eingerichtet. Doch plötzlich kommt die Meldung vom Rückzug vom TSV Milbertshofen aus der Ersten Bundesliga. Dessen Träger des Bundesligaspielbetriebs muss Konkurs anmelden. Konkret bedeutet dies, dass Ulrich Backeshoff, Münchner

Unternehmer und Finanzier, selbst ehemaliger Torhüter, nicht mehr die benötigten Geldmittel lockermachen will, beziehungsweise kann. In der Nähe Münchens platzt innerhalb weniger Jahre wieder der Traum vom Bundesliga-Handball. Zuvor gehen beim MTSV Schwabing die Lichter aus.

Jan Holpert könnte nach Hameln oder zum THW Kiel wechseln. Aber die SG Flensburg-Handewitt schickt gleich drei Abgesandte zum Elternhaus Holperts. Sönke Voß, Frerichs Eilts und Dierk Schmäschke buhlen um die Gunst des Nationaltorhüters, denn die SG profitiert vom Rückzug der Milbertshofener und braucht nicht in die Zweite Bundesliga abzusteigen. Das Handballleben hat für den Torhüter wieder eine Perspektive. Klaus-Dieter Petersen ist inzwischen mit THW-Liga-Obmann Heinz Jacobsen handelseinig geworden. Er unterschreibt einen Drei-Jahres-Vertrag bei den Zebras und bekommt Noka Serdarušić als Trainer, bei dem er vorher denkt, in Flensburg trainieren zu können. „Ich habe in Gummersbach immer um Titel

Klaus-Dieter Petersen im Duell mit seinen späteren Mannschaftskameraden Frank Gersch und Magnus Wislander. Links ist Dirk Schuldt zu sehen.

mitgespielt, das will ich nun auch in Kiel", sagt Petersen bei seiner offiziellen Vorstellung. Dieser Satz wird Jahrzehnte später noch entsprechende Strahlkraft besitzen. Obwohl die Beziehung zu Denise keine Bindung für die Ewigkeit bleibt, wird Klaus-Dieter Petersen ein Spieler des THW Kiel. Schon zu Gummersbacher Zeiten habe ihn die Ostseehalle mit seinem enthusiastischen Publikum begeistert.

In Erinnerung ist ihm im Besonderen das westdeutsche Play-off-Finale vor der ersten gesamtdeutschen Meisterschaft 1991. Petersen verrät einen Trick. Im Schwarzwald hat Trainer Heiner Brand das Team vorbereitet und auf handballspezifische Übungen verzichtet. Vielmehr baut er in puncto Beinarbeit athletische Elemente des Boxtrainers Valentin Silaghi ein. Im Hinspiel in Gummersbach siegt der VfL 22:14. Doch irgendwie schlottern dem ruhmreichen Club vor dem zweiten Spiel die Knie. Seit sechseinhalb Jahren haben die Oberbergischen in Kiel nicht mehr gewonnen. Und diesmal sieht es so aus, als könnte der THW gegen den VfL eine dritte Begegnung erzwingen, die in den Play-off-Runden bei Gleichstand nach Siegen in zwei Spielen vereinbart ist. Abwehrspezialist Klaus-Dieter Petersen und der überragende Torhüter Andreas Thiel lassen jedoch in den zweiten 30 Minuten nur noch vier Tore zu. Gummersbach, das anfangs 3:6 zurückliegt und ob des Drucks von 7.000 Zuschauern zusammenzubrechen droht, gewinnt nach einem 6:7-Halbzeitrückstand zum Ende der 60 Minuten 13:11 und erreicht das gesamtdeutsche Finale gegen den SC Magdeburg. „Die Stimmung in Kiel ist immer einfach unglaublich. Von diesem Zeitpunkt an habe ich immer gehofft, diese Fans einmal im Rücken zu haben", sagt Petersen.
Ein weiterer Grund ist, dass sich „Pitti" vom ehemaligen Weltklasse-Kreisläufer Serdarušić neue Impulse in Sachen Angriffsspiel erhofft. „In Gummersbach bin ich schon zum Abwehrspezialisten abgestempelt worden. Wer nur in der Abwehr spielt, ist aber nur ein halber Handballer. Ich will ein Ganzer werden", sagt Petersen.

Kindheit, Jugend und Ausbildung

Bewegung ist im Hause Petersen schon immer Trumpf. Die Familie mit Vater Peter, Mutter Erika und den Kindern Kirsten, Annette und Klaus-Dieter, der am 6. November 1968 zur Welt kommt, wohnt im Nord-Osten von Hannover, in Misburg, einem Stadtteil der niedersächsischen Landeshauptstadt. Der Misburger Wald und die nahe Bundesautobahn 2 (A2) als viel befahrene West-Ost-Verkehrsverbindung im Transit begrenzen das Gebiet, das erst 1963 zur Stadt erklärt wird. Es ist sehr grün in den Sommermonaten. Die viergeschossigen Wohnhäuser lassen jegliche Hektik abprallen. Die Entfernung zum Sportplatz beträgt ebenso 100 Meter wie die Strecke zum neuen Hallenschwimm- und Freibad an der Ludwig-Jahn-Straße. „Ich habe mich überall herumtreiben können", lächelt Klaus-Dieter Petersen. „Alles, was mit Bewegung zu tun hat, macht mir Spaß."

Früh spielt der Ball bei den Petersens eine bedeutende, wenn nicht gar übergeordnete Rolle. Vater Peter, ein Bau- und Kunstschlosser, ist selbst aktiver Handballspieler bei der SG Misburg. Die Erfolge des Clubs sind überschaubar. Bis zur Bezirksebene schlägt sich die SG einigermaßen tapfer. Das ist die vierte Spielklassenebene. Der Vater wird Trainer der Mädchenmannschaft, die Mutter nimmt ebenfalls eine Tätigkeit als Übungsleiterin auf und ist viel im Einsatz. „Wir waren viel, allerdings nicht immer zusammen, in den Hallen unterwegs", schmunzelt Mutter Erika. Sie baut dazu langsam für den Kreishandballverband ein ehrenamtliches Netzwerk auf.

Klaus, so wird er von seiner Familie gerufen, ist vier Jahre alt. Seine ein Jahr ältere Schwester Kirsten und die neunjährige Annette drängen darauf, mit dem Handballspielen anzufangen beziehungsweise es intensiver zu betreiben. Der kleine Bruder wird natürlich gleich mit in die Halle genommen. Bei den Spielen der SG Misburg kann Klaus es kaum bis zur Halbzeitpause abwarten. „Natürlich gehörte er zu den Pausenklönen, wie die Kinder bei uns heißen, und tobte in der Halbzeitpause auf dem Feld herum. Die Mädchen waren da nicht so spontan", erinnert sich Mutter Erika und ergänzt: „Auf diese Art und Weise kamen die Kinder ja zur Sportart."

Es sind mehr Jungs dabei, die auf dem Feld rennen, toben, werfen und springen. Die Gesichter der Kinder laufen – als Zeichen der Erschöpfung – in den zehn Minuten der offiziellen Halbzeitpause manchmal rot an. Viele sind schnell aus der Puste. Klaus nicht. Er will immer weitermachen, ist enttäuscht, dass die Zeit so schnell vorbei ist. Die beiden zuvor spielenden Mannschaften kehren schneller aus dem Kabinentrakt zurück, als den Jungs lieb ist.

Klaus beginnt sich mehr und mehr für die beliebte Mannschaftssportart Handball zu interessieren. Der erste Trainer ist Erwin Jelinski. Das Talent fällt auf, obwohl Klaus nicht der Einzige ist, der die notwendige Beweglichkeit und Gewandtheit mitbringt. Der Vater ist hingegen der erste Trainer seiner Töchter. Klaus spielt dazu noch Fußball beim FC Stern Misburg. Das ist ein gesunder Ehrgeiz.

Aber mit Handball und Fußball ist es nicht genug. Klaus belässt es nicht nur bei den beiden Ballsportarten, sondern wagt sich an die Leichtathletik und das Turnen heran. Die Mutter nimmt ihre Kinder nahezu überall mit hin. Spielanlagen, Schwimmbäder, Sportplätze bieten tagein tagaus die gewünschte Abwechslung.

„Klaus konnte noch vor dem Schwimmen tauchen", weiß Mutter Erika. In der Wohnung lässt sich der Bewegungsdrang in den Wintermonaten nicht so ausleben. Als der Junge darüber hinaus noch Versuche unternimmt, mit dem Wasserball beginnen zu wollen, ist das Maß voll. „Da habe ich gestreikt", lacht Mutter Erika. „Das war von den Trainingszeiten einfach viel zu spät, Klaus musste doch auch noch mal schlafen."

Eine gute Gabe zeigt er dafür an den Spielabenden in der Familie. Schließlich gibt es lange nur drei Fernsehprogramme. Und um einen Kanal zu wechseln, muss man aus dem heimischen Sessel sogar noch aufstehen, viele TV-Geräte sind noch ohne Fernbedienung. Klaus hat ein gutes Gedächtnis und gewinnt die meisten Memorypartien. Es müssen Paare von gleichen Karten nacheinander aufgedeckt werden. Der Junge entwickelt schnell Strategien, um erfolgreich zu sein. „Denkspiele waren immer sein Ding", weiß Mutter Erika.

Die Fußball- und Handballlaufbahn laufen quasi fast parallel. Die kleinen Fußballer aus Misburg messen sich mit dem großen Club Hannover 96. Klaus ist Mittelfeldspieler bei den Sternen. Er hat keine großen Vorbilder. In Erinnerung sind ihm Duelle aus der C-Jugend gegen Detlev Dammeier, der später Profi bei den Roten von Hannover 96 wird oder ein Besuch bei Jean-Marie Pfaff. Der Torhüter wechselt nach der Fußball-Weltmeisterschaft 1982 vom SK Beveren in Belgien zum FC Bayern München an die berühmte Säbener Straße. „Aber ich bin nie irgendwelchen Stars hinterhergehechelt", sagt Klaus.

Bei den Handballern in Misburg wird er seit der D-Jugend vom polnischen Nationalspieler Zbigniew Dybol trainiert. Dieser spielt selbst noch höherklassig für den Polizei SV Hannover, ist dort Linksaußen und ziemlich trickreich. „Er war ein großes Vorbild und enorm wichtig für meine eigene Entwicklung", betont Klaus, der 1979 erstmals in der Kreisauswahl spielt. Schließlich werden am Sonntagmorgen die Spiele der Hannoveraner geschaut. Zbigniew Dybol und sein Team schaffen es 1982 über den zweiten Platz in der Regionalliga Nord, der zweithöchsten deutschen Spielklasse, zu den Aufstiegsspielen gegen den TuS Griesheim. Dort gewinnt der PSV im ersten Aufeinandertreffen 16:11, unterliegt im Rückspiel 19:22 und ist damit Aufsteiger in die Erste Bundesliga. „Das Training mit ihm war super. Wir haben uns sehr viele Bälle in der

Bewegung zugespielt und bekamen mehr als nur die Grundlagen vermittelt", sagt Klaus.

Längst liegt der Beginn des sogenannten ersten ernsten Abschnitts des Lebens mit Besuch der Pestalozzi-Grundschule in Misburg hinter Klaus. „Das war aber nicht seine erste Priorität", erinnert sich Mutter Erika. Klaus braucht in dem Bereich der Schulpädagogik ein anderes Lernsystem. Weil die Schwestern bereits die nahe liegende Integrierte Gesamtschule (IGS) Roderbruch besuchen, wechselt auch Klaus nach dem ersten Halbjahr im Februar 1976 an die IGS in der Rotekreuzstraße. Lehrplan oder Lehrprogramm (Curriculum), das auf einer Theorie des Lehrens und Lernens aufbaut, sagen ihm vielmehr zu. Noch nicht lange gibt es die Schule, die mit den Jahrgängen 1, 5 und 11 beginnt, auf der grünen Wiese im Osten Hannovers. „Ich habe dort aus den Profilmöglichkeiten auswählen können und den Schwerpunkt Sport auf bis zu acht Wochenstunden ausgebaut."

Viele Eltern der angrenzenden Wohngebiete, dazu zählt Misburg, schicken ihre Kinder dorthin. Das Roderbruch erstreckt sich zwischen der Karl-Wiechert-Alle und dem Osterfelddamm sowie einer Vielzahl von Verwaltungsgebäuden großer Konzerne wie zum Beispiel TUI und Hannoversche Leben. Auf der IGS entdeckt Klaus darüber hinaus Basketball als eine neue Sportart. „Handball konnten die Mitschüler nicht, und deshalb war ihm das zu langweilig", sagt Mutter Erika.

Die IGS Roderbruch stellt sich als größte allgemeinbildende Schule der Landeshauptstadt dar, umfasst gleichzeitig als einzige staatliche Schule inzwischen alle Jahrgänge von den Klassenstufen 1 bis 13. Mathematik und die naturwissenschaftlichen Fächer mit Biologie und Physik finden das Interesse von Klaus. Deutsch als Lernfach und die anderen Fremdsprachen gehören nicht zum bevorzugten Favoritenkreis des Jungen.

Außerhalb der Schule steht eines Tages an einem Nachmittag nach dem Unterricht die erste schwere Entscheidung an. Die Fußballer fordern: Handball oder Fußball? Beides geht auf keinen Fall! Sie planen Klaus aus der C-Jugend in die erste B-Jugend des FC Stern Misburg aufzunehmen, aber nur, wenn er keinen Handball mehr spielt. Dieser Entschluss ist von großer Tragweite. Der Junge fährt wütend mit dem Fahrrad nach Hause und sagt ganz konsequent zu seinen Eltern: „Ich habe mich entschieden, ich spiele nur noch Handball." Der FC Stern Misburg und der Fußball haben in diesem Moment ein Talent für immer verloren.

Mit der Beendigung des Fußballspielens und dem absoluten Bekenntnis zum Handball ist allerdings noch ein Vereinswechsel verbunden. Klaus verlässt die SG Misburg und schließt sich dem TSV Anderten an. „Anderten hatte mit den Jugendmannschaften in der Oberliga und damit in den höchsten Spielklassen gespielt", beschreibt Klaus den Anreiz. Kurz danach wird er für die Niedersachsenauswahl nominiert.

Misburg und Anderten werden lediglich durch den Mittellandkanal getrennt. Die Entfernung hält sich im überschaubaren Rahmen, sodass sich die Fahrten zum Training problemlos mit dem Fahrrad oder dem Bus zurücklegen lassen. „Manchmal bin ich auch gejoggt, wenn der Bus auf sich hat warten lassen", erinnert sich Klaus-Dieter Petersen. Andertens Trainer Klaus Graafmann fragt ihn deshalb: „Warum schwitzt du so?" „Ich habe mich schon warmgelaufen", grinst der junge Handballer schelmisch.

Mit dem TSV Anderten wird Petersen Meister in der Oberliga B-Jugend und gewinnt gleichzeitig die Landesmeisterschaft mit der A-Jugend. Es folgen Spiele um die norddeutsche Handballmeisterschaft. Im Halbfinale setzt sich Anderten gegen die SG Weiche-Handewitt durch, siegt im Finale mit 24:22 gegen TV Baden, und Petersen macht dort Bekanntschaft mit Martin Schmidt, der in der

Bundesliga einige Jahre danach Mitspieler beim THW Kiel wird. Im Finale um die deutsche Meisterschaft haben die Andeterner mit Klaus-Dieter Petersen schließlich gegen den Süd-West-Meister TV Großwallstadt mit dem späteren Bundesligatrainer Peter Meisinger das bessere Ende für sich.

Petersen ist zu Beginn seiner Handballzeit zunächst Rückraumspieler. Als seine Mitstreiter schneller wachsen, muss für den Blondschopf eine neue Position gefunden werden. Am Kreis – in der Nahkampfzone zwischen den Abwehrspielern – wird er heimisch. Nachdem der Größennachteil aufgeholt ist, darf Petersen in die sogenannte zweite Reihe zurück. Das Abwehrspiel nimmt früh eine bedeutende Rolle ein. „Ich habe oft zentral gespielt und von dort gerne das Gegenstoßspiel eingeleitet", sagt Petersen.

Klaus macht Fortschritte, entwickelt sich gut auf dem Handballfeld. Die Analyse der eigenen Spiele fällt in den heimischen vier Wänden eher karg aus. „Mein Mann hat sich nicht eingemischt", sagt Mutter Erika. In der Schule schafft Klaus im Juli 1985 den mittleren Bildungsabschluss und bewirbt sich erfolgreich um eine Ausbildungsstelle bei der AEG Hannover.

Handball wird mehr und mehr zum Lebensmittelpunkt. Die Eltern begleiten ihren Sohn, wann immer es möglich ist, halten sich jedoch deutlich im Hintergrund. Klaus ärgert sich dennoch und sagt: „Keiner wird begrüßt, nur meine Mutter." Das hat jedoch einen ganz besonderen Grund, denn sie ist inzwischen Mädelwartin im Norddeutschen Handball-Verband (NHV) und landet schließlich sogar beim Deutschen Handball Bund (DHB), bei dem sie im Verlauf der Jahre als Frauenbeauftragte dem erweiterten DHB-Präsidium als Funktionärin angehört. Bewegung und Sport funktionieren im Hause Petersen.

Endlich: Die Schule ist vorbei. Der Mittlere Bildungsabschluss, gemeinhin als Realschulabschluss, jedoch in Niedersachsen als Sekundarabschluss I bekannt, ist in der Tasche von Klaus-Dieter

Petersen. Nicht mit Auszeichnung, aber solide. „Ich bin ohne Ehrenrunde durchgekommen", sagt Klaus. Nach nun zehn Schuljahren soll aber Schluss sein. Zumindest vorerst. Er weiß aber schon längst, wie es weitergeht. Jetzt, mit fast 17 Jahren, steigt das immer größer werdende Energiebündel, das nur ganz selten nach einer Ruhepause verlangt, allmählich in das Berufsleben ein. Bei der AEG in Hannover, nahe Langenhagen, beginnt Petersen eine Ausbildung zum Energieanlagenelektroniker. Das Wort ist so lang wie die Züge seiner Eisenbahn, die Klaus in seiner Jugendzeit schon immer fasziniert haben. Antriebstechnik, Gleise, Signale, Figuren und Beleuchtungstechnik werden zu Hause gesteuert.

Er wird von der AEG angenommen, einem Konzern, der trotz der Finanzschwierigkeiten aufgrund der drei großen roten Buchstaben Weltruf genießt. „Für mich änderte sich der Tagesablauf schlagartig", erinnert sich Petersen. Um fünf Uhr morgens klingelt der Wecker, um 5.20 Uhr fahren der Bus und die Stadtbahn über den Hauptbahnhof zum Werk. 15 Minuten vor Arbeitsbeginn ist Petersen täglich vor Ort. „Mittwochs hatten wir Berufsschule. Ich musste also immer nur zwei Tage arbeiten", erinnert sich Petersen. In der Ausbildungswerkstatt folgt zunächst die metallische Grundausbildung wie Feilen, Bohren, Drehen, Fräsen, ehe die angehenden Elektriker sich dem Prüfen, Messen, Einstellen und Montieren widmen können. Bis zu acht Stunden dauert ein Arbeitstag, obwohl die 40-Stunden-Woche nach dem langen Streik der IG Metall inzwischen geknackt ist. Am späten Nachmittag geht es wieder den umgekehrten Weg nach Hause, ehe am Abend der Handballsport im Mittelpunkt steht. „Wir haben drei Mal in der Woche trainiert, an einem Tag bin ich zusätzlich zum Turnen gegangen", erzählt Petersen.

Er spielt inzwischen im letzten Jahr beim TSV Anderten und mit Beginn des zweiten Ausbildungsjahres 1986 wechselt Petersen zur TS Großburgwedel, eine gute Adresse, allein wegen Trainer Hans

Kramer. Der frühere Nationalspieler – mehrmaliger Deutscher Meister und Pokalsieger im Trikot von GWD Minden – führt die Turnerschaft schon zuvor in die Regionalliga Nord und klopft nun sogar an die Tür zur Zweiten Bundesliga. Sogar Bundesligist VfL Hameln streckt bereits die Fühler aus. „Paul Tiedemann hat mir den Weg über Großburgwedel nahegelegt", berichtet Petersen von einem Gespräch mit dem Nordauswahltrainer. In der routinierten Mannschaft mit einigen ehemaligen Bundesligaspielern des PSV Hannover in der auch Kramer kurz vor seinem 40. Geburtstag noch mitmischt, ist frisches Blut willkommen. Petersen ist vielseitig. In der Abwehr erkennt er durch antizipatives Verhalten das Vorhaben des Gegners. „Ich habe auch gerne einmal Bälle rausgeschnippelt", lacht er. Unvergessen ist das letzte Spiel beim TSB Flensburg in der Saison 1987/88. Großburgwedel benötigt noch einen Punkt für den Klassenerhalt. Spielmacher Hanno Staab, schon 30 Jahre alt, ist erschöpft und vertraut Petersen die Rolle im zentralen Rückraum an. Der 19-Jährige steuert mit zwei guten Aktionen wichtige Akzente zum 22:22-Unentschieden bei, wirft insgesamt acht Tore. Geld fließt bei den Großburgwedelern allerdings keines. Am Saisonende reist das Team dafür als Belohnung nach Israel und Brasilien, der Heimat von

Mitspieler Nei Cruz Portela. Der Mannschaftsgeist steht im Vordergrund und wird gestärkt. „Die Reisen sind mir noch nachhaltig in Erinnerung", sagt Petersen. Er lernt etwas über das Heilige Land, das von Juden, Christen und Muslimen bewohnt wird, und besucht Portelas Geburtsstadt Santa Maria.

Klaus-Dieter Petersen im Dress der TS Großburgwedel.

Längst ist er auf dem Radar des Handball-Zweitligisten Grün-Weiß Dankersen. Natürlich hat Kramer seine Finger im Spiel. Der frühere GWD-Kapitän macht Petersen („Ich wollte aber auch den nächsten Schritt machen"), der gerade im vierten Lehrjahr auf das Ende der Ausbildung zusteuert, 1988 den Wechsel schmackhaft. Schließlich kennt Kramer den aktuellen Trainer Friedrich „Fitze" Spannuth aus der gemeinsamen aktiven Zeit in Minden. Natürlich schaut sich Spannuth, der ein Jahr zuvor zum dritten Mal Trainer bei GWD wird, Petersen ein paar Mal an, ehe der Wechsel schließlich forciert wird. Aber Spannuth reicht den Trainerstab noch vor Petersens Ankunft an Heinz Brockmeier weiter. Dieser soll die Ostwestfalen endlich wieder in die Erste Bundesliga zurückführen. Für die Fahrten von Misburg nach Minden gibt es aus dem Autohaus Schmidt, einem großzügigen und treuen Sponsor, einen Opel und damit quasi die erste Entlohnung neben der Ausbildungsentschädigung. Der weiße Kadett D verfügt über einen mit 1,3 Liter Hubraum ausgestatteten Motor und lässt den Emporkömmling zuverlässig jeden Tag über die A2 und die Bundesstraße 65 nach Ostwestfalen in die Kreissporthalle fahren. Mit viel Glück schafft das Auto 160 Stundenkilometer in der Spitze. „Wir haben vier Mal in der Woche trainiert", sagt Klaus-Dieter Petersen, der mehr als 900 Kilometer pro Woche zurücklegt.

Nach dem Ausbildungsende im Dezember 1988 („Ich habe in Theorie und Praxis jeweils mit der Note gut abgeschnitten") gelingt noch ein besonderer Coup. Petersen kann als Monteur der AEG Hannover in Minden bei Melitta arbeiten. Ein übergeordneter Meister ist ihm, dem jungen Facharbeiter, beim Neubau der Kantine und einer neuen Produktionshalle auf dem Werksgelände als Energieanlagenelektroniker des bekannten „Kaffeeriesen" vorgesetzt. Im Februar 1989 wird Petersen schließlich zur Bundeswehr eingezogen.

Volker Hoffmann (links) und Herbert Pohl (rechts) zusammen mit Klaus-Dieter Petersen (Mitte).

Die Herzog-von-Braunschweig-Kaserne und damit das 4. Pionierbatallion 110 in Minden freut sich über einen sportbegeisterten Rekruten, der seine dreimonatige Grundausbildung dort absolviert. „Im Feldlager, die wir Biwaks nennen, war es Ende Februar verdammt kalt nachts." Sportlich läuft es für GWD Anfang der Saison nicht richtig rund. Erst ein Schlussspurt mit neun Siegen bei nur einer Niederlage in den letzten zehn Spielen und Platz vier in der Abschlusstabelle sorgen noch für ein halbwegs versöhnliches Ende. „Wir haben eine junge Mannschaft und einen neuen Trainer, da dauert es eben ein bisschen, bis sich der Erfolg eingestellt hat", sagt Petersen. Tomáš Bártek ist der einzige ausländische Spieler, der um sich herum Nachwuchskräfte versammelt. Petersen ist in seinem

Element, steht durch Ausbildung, Training, Gesellenzeit und Bundeswehr mehrere Jahre unter Dauerstrom – irgendwie passend für einen Energieanlagenelektroniker. Und doch kommt der Abschied aus dem schönen Ostwestfalen viel schneller und plötzlicher als gedacht.

Gummersbach

Der VfL Gummersbach will seine Bundesliga-Mannschaft zum Ende der 1980er-Jahre verjüngen. Torhüter Andreas Thiel (29), Rückraumspieler Andreas Dörhöfer (26), Alfred Zlattinger (28) und Frank Dammann (32) sollen die jungen Wilden führen. Die VfL-Ikone Klaus Brand ist in dieser Phase als Team-Manager für seinen Club unterwegs und empfiehlt nach einigen Beobachtungen seinem Bruder Heiner, der die Oberbergischen trainiert, den jungen Klaus-Dieter Petersen aus Minden als Spieler. Schließlich macht Christian Fitzek den Platz beim VfL mit seinem Wechsel zur SG Wallau-Massenheim als Kreisläufer frei. „Da muss ich nicht lange überlegen, als Heiner Brand bei mir zu Hause sitzt", lächelt Petersen, der gerade eine eigene Wohnung in Minden bezogen hat. „Ich wäre wohl sogar mit dem Fahrrad nach Gummersbach gefahren." Abseits des Spielfeldes kümmert sich ein rühriger Mann namens Eugen Haas um die Befindlichkeiten seiner Spieler, sorgt für Freistellungen bei den Arbeitgebern und guten Bedingungen für Trainer Heiner Brand.

Aber der Wechsel lässt sich gut auf die Träume in der Kindheit zurückführen. Der VfL Gummersbach ist seit Ende den 1960er Jahren eine Marke. Nationale Meisterschaften und internationale Titel sorgen für Ruhm und Anerkennung der Oberbergischen und machen den Verein zu einer internationalen Spitzenmannschaft. Wenn – selten genug – einmal Spiele des VfL in der Sportschau in der ARD oder in der ZDF-Sportreportage im zweiten TV-Programm zu sehen sind, dann sitzt natürlich der junge handballbegeisterte Klaus-Dieter Petersen vor dem Fernsehschirm. Er fiebert mit Hansi Schmidt, dem ehrfürchtigen Rückraumbomber Gummersbachs, der als einziger Spieler mit der rechten und linken Hand aus der sogenannten zweiten Reihe werfen kann. Aber auch die Paraden von Torhüter Klaus Kater und das Abwehr- und Kreisläuferspiel von Heiner Brand, der aus dem Rückraum Übergänge einleitet, haben es dem jungen Niedersachsen angetan. 1974 gewinnt der VfL zum vierten Mal den Europapokal der Landesmeister. Im Endspiel wird MAI Moskau nach Verlängerung 19:17 bezwungen. „Wenn Handball in der Schule und in der Freizeit gespielt wurde, wollte jeder ein Gummersbacher sein", erinnert sich Petersen.

In der Folgezeit drängt sich beim VfL immer mehr die dynamische Spielweise des jungen Gummersbachers Joachim Deckarm auf. Ein Krimi ist das 50. Länderspiel Deckarms. In Karl-Marx-Stadt (heute Chemnitz) kann die bundesdeutsche Auswahl am 6. März 1976 nach einem 17:14 (9:6)-Sieg im ersten Aufeinandertreffen in München mit der DDR mit drei Toren Unterschied verlieren, weil sie in der Dreiergruppe mit Belgien bei Punkt- und Torgleichheit in den direkten Duellen über das um zwölf Tore bessere Torverhältnis verfügen würde. Die Qualifikation zu den Olympischen Spielen in Montreal scheint greifbar nahe. Petersen und seine Familie sitzen vor dem heimischen Fernseher. „Das Spiel war so dramatisch, bei uns hat keiner einen Ton gesagt", kommentiert Klaus-Dieter Petersen. Die ARD-Sportschau verbannt zur Übertragung dieser Partie sogar den Fußball aus dem Programm und überträgt von zwei Spielen der Bundesliga in der Halbzeitpause lediglich Ausschnitte. „Kaum zu glauben", findet Familie Petersen. „Dass unser Handball einmal dem Fußball vorgezogen wird."

Die bundesdeutschen Handballer liegen gegen die DDR zur Pause 4:7 zurück. Die zweiten 30 Minuten, die sich aus unerklärlichen Gründen auf 35 oder gar 36 Spielminuten ausdehnen, werden zu einer Abwehrschlacht. Das Deckarm-Tor zum 8:9 muss doch reichen. Nein! Hans Engel trifft noch zweimal für die DDR, die jetzt 11:8 vorne liegt. Aber es läuft weder für die Zuschauer in der Halle, noch an den Fernsehschirmen eine Uhr sichtbar mit. Die DDR ist im Ballbesitz. Eine Attacke von BRD-Abwehrspieler Horst Spengler, der gegen DDR-Linksaußen Peter Rost deutlich zu spät kommt, wird mit einem Siebenmeter geahndet. Es beginnen Psychospielchen auf beiden Seiten. Engel hat schließlich den Ball und scheitert mit seinem Wurf am linken Knie von Torhüter Manfred Hofmann. „Ich habe Hofmann ganz doll die Daumen gedrückt", verrät Petersen. Eine Torwartparade für die Ewigkeit! Die Bundesrepublik darf zu den Olympischen Sommerspielen nach Kanada reisen. Während Petersen jubelnd durch die Wohnung läuft, hat diese bundesdeutsche Aufstellung in seiner späteren Karriere große Bedeutung. Mit Hans Kramer, Heiner Brand und Arno Ehret sollen noch drei Spieler aus dieser Mannschaft Petersens Trainer werden.

Nach dem vierten Platz bei den Olympischen Spielen macht sich die Nationalmannschaft zwei Jahre später – 1978 – auf nach Dänemark zur Weltmeisterschaft. Der Blondschopf aus Hannover studiert die Zeitungen, denn Fernsehberichte von diesem Turnier gibt es so gut wie gar nicht. Der DHB-Auswahl gelingt nach drei Siegen in der Vorrunde und zwei Unentschieden in der Hauptrunde der völlig überraschende Einzug in das Finale. Zwei Tore liegt das Team von Trainer Vlado Stenzel vor der punktgleichen DDR. „Die Weltmeisterschaft war für mich das Handballerlebnis schlechthin. Da will ich einmal mitspielen", sagt Petersen damals. Fritz Hattig sitzt beim Endspiel für das ZDF am Mikrofon und begleitet das Spiel gegen die Sowjetunion, alles absolute Vollprofis, die in ihrem Leben nur Handball spielen müssen. Viermal wechselt die Führung in der ersten Halbzeit. Mit 11:11-Toren werden die Seiten getauscht. Im Verlauf der zweiten Halbzeit setzt sich das Team von Bundestrainer Vlado Stenzel mit einem 5:1-Lauf nach Toren von Horst Spengler, Joachim Deckarm sowie drei Treffern des bis dato nahezu unbekannten Dieter „Jimmy" Waltke auf 16:12 (44. Minute) ab. Riesenjubel in der Wohnung bei Petersens in Misburg. Mit Glück, Geschick und einem ganz starken Block von Deckarm beim letzten Wurf der Sowjets verteidigen die bundesdeutschen Handballer am 5. Februar 1978 einen 20:19-Sieg. „Wir sind Weltmeister", jubelt Klaus. Am Mikrofon lässt Hattig die Zuschauer lange mit den Bildern allein und lobt hernach Bundestrainer Stenzel als „König des Handballs" sowie als „der Wundermann aus Jugoslawien, der eine Mannschaft aus dem Dunkeln ins ganz helle Licht geführt hat".

Von jetzt an werden die Wege der Gummersbacher und der Nationalmannschaft von Klaus-Dieter Petersen akribisch verfolgt. Im Jahr des WM-Erfolges holt der VfL den DHB-Pokalsieg und wird außerdem Europapokalsieger der Pokalsieger mit einem 15:13-Sieg gegen Željezničar Niš aus Jugoslawien. Wie alle Handballfreunde ist Petersen am 30. März 1979 vom Schicksal Deckarms tief betroffen. Im Halbfinale des europäischen Pokalsieger-Wettbewerbes verunglückt der Rückraumspieler in Tatabánya (Ungarn) und kann danach nie wieder ein normales Leben führen. Die VfL-Handballfamilie schweißt das noch mehr zusammen. Im Endspiel siegt Gummersbach gegen den SC Magdeburg mit 15:11 und widmet den Erfolg ihrem Mitspieler.

Im Olympiajahr 1980 macht die Politik einen Strich durch die Hoffnungen vieler Handballstars. US-Präsident Jimmy Carter lässt nach dem Einmarsch sowjetischer Truppen in Afghanistan einen Olympiaboykott umsetzen. Die aussichtsreichen Weltmeister von 1978 dürfen nicht an den Spielen in Moskau teilnehmen und müssen tatenlos zuschauen, wie die DDR den Titel holt. National ist Gummersbach die Nummer 2 hinter dem TV Großwallstadt. Im WM-Jahr 1982 kann die gastgebende bundesdeutsche Auswahl ihren Titel nicht verteidigen. „Eigentlich habe ich mindestens eine Medaille erwartet, und die war drin", erinnert sich der 13-jährige Petersen an das 16:16 im letzten Hauptrundenspiel gegen die Schweiz. Dafür steigt der VfL wieder auf den Meisterthron und gewinnt mit dem DHB-Pokal sogar das Double.

Die erfolgreichen 70er-Jahre werden durch weitere deutsche Meistertitel 1983, 1985 und 1988 sowie den Siegen im IHF-Pokal 1982 und im Europapokal der Landesmeister 1983 – 17:16 gegen SKA Minsk – weiter vergoldet. Das macht Petersen die Entscheidung des Wechsels von Minden 1989 zur europäischen Spitzenmannschaft nach Gummersbach noch leichter. Neben dem jungen Mann aus Minden, der sich nach nur einem Jahr in der Zweiten Bundesliga nun für höhere Aufgaben nahezu aufdrängt, kommen Rune Erland – ebenfalls ein 1968er Jahrgang – aus Norwegen sowie der 24-jährige Uli Derad von Frisch auf Göppingen.

Außerdem wird der Soldat Petersen, inzwischen Gefreiter, auf das Hochplateau des Phönixberges in den Essener Stadtteil Kupferdreh zur Sportförderkompanie der Bundeswehr versetzt. Junioren-Nationaltrainer Horst Bredemeier hat an den entsprechenden Stellschrauben gedreht. Dank dessen Unterstützung lassen sich sogar die Trainingsumfänge für Petersen noch weiter steigern. Bredemeier nimmt den Neu-Gummersbacher sogar mit zur Junioren-Weltmeisterschaft nach Spanien. „Das ging alles ziemlich schnell", erinnert sich Petersen. Beim VfL angekommen hat der junge Norddeutsche doch Respekt. „Ich würde das Ehrfurcht nennen", kommentiert Petersen. Aber die Kameradschaft lässt die Mannschaft schnell zusammenwachsen, obwohl neben Christian Fitzek noch Rüdiger Neitzel (TSV Milbertshofen) und Thomas Krokowski (Bayer Leverkusen) als weitere Leistungsträger ersetzt werden müssen. „Thiel und Dörhöfer sind als erfolgshungrige Leitwölfe immer vorangegangen", erinnert sich Petersen.

An die schweißtreibende Vorbereitung hat Klaus-Dieter Petersen vor allem eine Erinnerung: „Beim VfL trainierten wir mehr und länger." Aber das ist genau das, was der junge Mann sich von seinem Wechsel nach Nordrhein-Westfalen versprochen hat. Das Bundesligadebüt im VfL-Trikot läuft super. Am 4. Oktober 1989 knöpft das jüngste

Bundesligateam dem Meister der vergangenen Saison, TuSEM Essen, beim 19:19 einen Punkt ab. Jochen Fraatz gleicht Sekunden vor dem Ende aus. Petersen erzielt ein Tor. „Vier oder fünf Mal blieb mir die Luft weg, wenn ich einen Ball fangen wollte", erinnert sich Petersen, dass in der Ersten Bundesliga ein anderer Wind weht. Die Spieler sind nicht nur athletischer, sondern agieren einfach viel härter. Die internationale Feuertaufe gegen die Red Boys Differdingen aus Luxemburg im Europapokal der Pokalsieger vier Tage zuvor ist beim 23:9-Sieg dagegen eher ein Kindergeburtstag.

Der VfL Gummersbach 1989 mit (stehend von links): Bundesliga-Obrnann Euqen Haas, Ralph Heinzemann, Gunnar Jaeger, Klaus-Dieter Petersen, Andreas Dörhöfter, Jochen Fanger, Alfred Zlattinger, Rune Erland, Trainer Heiner Brand, Sportphysiotherapeut Urban Wrona, Betreuer Winfried Fischer. Sitzend von links: Kate Wandschneider, Uli Derad, Michael Lehnertz, Thomas Heil, Andreas Thiel, Michael Schröder, Frank Dammann, Knut Bünqen.

Jung an Jahren und unerfahren erlebt Petersen Anfang November eine internationale Glanzleistung. Selbst hart gesottene VfL-Fans erinnern sich immer wieder gern an die Partie bei Dinamo Astrachan, dem Spitzenteam aus der russischen Staatsliga. Der VfL geht nicht wie erwartet am Kaspischen Meer baden, sondern bestreitet das Hinspiel in Moskau. Gegen die Rückraumriesen Andrej Tjumenzev und Wjatscheslaw Atawin gewinnen die Oberbergischen sensationell 22:16. Vater des Erfolges ist Torhüter Andreas Thiel, der gleich fünf Siebenmeter abwehrt und auf über 20 Paraden kommt. „Eine solche Torwartleistung habe ich bis dahin noch nicht gesehen", sagt Petersen. Im Halbfinale fehlt gegen die Schweden von Drott Halmstadt (22:19/17:21) lediglich ein einziges Tor zum Einzug in das Endspiel. Das sportliche Pfund ist jedoch Platz zwei in der 14er-Staffel des deutschen Handball-Oberhauses. Petersen und der VfL scheitern in den 1990ern Jahren erstmals durchgeführten Play-offs, die zur Steigerung der Einnahmen und Medienpräsenz analog zum Eishockey eingeführt werden, im Halbfinale am TSV Milbertshofen (17:19/13:19). Der 21-Jährige macht alle 30 Bundesligaspiele, vier DHB-Pokalbegegnungen und sieben der acht Europapokalspiele mit. „Ich war ja körperlich noch nicht vollständig ausgebildet", sagt Klaus-Dieter Petersen.

Aber das Hallentraining bei der Bundeswehr sorgt für eine verbesserte Beweglichkeit, Gewandtheit und auch Fitness. Die Militärweltmeisterschaft in Nigeria ab Mitte September ist das große Ziel. Während Oberstabsfeldwebel Toni Pointinger die notwendigen Gepflogenheiten im I. Luftwaffen-Ausbildungsregiment der Bundeswehr in Händen hält, gibt Trainer Thomas Gloth – ebenfalls eine Bredemeier-Empfehlung – die sportliche Richtung vor. „Ich durfte alles, nur keine militärischen Befehle erteilen", erinnert sich Gloth. Im westafrikanischen Staat ist das anders. Dort regiert Generalmajor Ibrahim Badamasi Babangida das Land in einer Militärdiktatur. Viermal in Folge hat Deutschland den Titel gewonnen. Jetzt soll der fünfte Sieg folgen, doch es fehlt nicht viel, und die Bundeswehr-Auswahl wäre schon vorher abgestürzt. Auf dem Weg nach Afrika zerstört ein starker Hagelschauer die Fensterscheibe des Cockpits. „Wir sind im Sturzflug 7000 Meter nach unten gegangen", sagt Petersen. Der Schreck sitzt allen Spielern in den Knochen. Noch schlimmer: Die Linienmaschine, ein Airbus, kann nicht am Murtala Muhammed International Airport in Lagos landen, sondern muss umkehren. Zurück in Frankfurt dauert es ein wenig, ehe die Mannschaft mit einem anderen Flugzeug die Reise erneut antreten kann. Sportlich lassen sich die deutschen Spieler, alle im Besitz eines Diplomatenpasses, nichts zu Schulden kommen, obwohl immer wieder eine stets ähnliche Mischung aus Rindfleisch und Geflügel zu Reis, Nudeln und Chips serviert wird. „Ich habe dreieinhalb Kilo abgenommen", erinnert sich Petersen. Im Finale gibt es gegen Belgien einen 29:17-Sieg. Gloth verschwindet vor dem Abpfiff in die Kabine. „Die Spieler sollten den Sieg allein auskosten", sagt der Coach, der kurz zuvor beim Bundesligaaufsteiger VfL Schwartau angeheuert hat. Der Kader ist stark besetzt. Mit Jan Holpert (TSV Milbertshofen), Markus Hochhaus (TV 08 Niederwürzbach), Mike Bezdicek (TBV Lemgo) sowie den Gummersbachern Gunnar Jäger und Kapitän Petersen (Gloth: „Ein Kapitän, wie man ihn sich wünscht") sind Spieler dabei, die sogar schon in der A-Nationalmannschaft debütiert haben. Entsprechend rund geht es auf der Feier. Der 1,20 Meter große Pokal wird gefüllt, und wie es damals üblich ist, von Mann zu Mann weiter gereicht. Gleichzeitig wird am 3. Oktober der Beitritt der DDR zur Bundesrepublik Deutschland als Tag der Deutschen Einheit gefeiert. Der Rückflug, der von Ilorin über Lagos nach Frankfurt führen soll, fordert den Schutzengel ein zweites Mal heraus. Bei der Landung in Lagos platzen alle Reifen der Lockheed C-130 Hercules. „Der

Pilot hat die Maschine jedoch auf der Bahn gehalten", lobt Obergefreiter Petersen, der seine Wehrdienstzeit kurz zuvor auf zwei Jahre als Soldat auf Zeit verlängert hat. Nach dem Umstieg in ein Ersatzflugzeug läuft endlich alles glatt.

Die Spielzeit 1990/91 kann fortgesetzt werden. Der VfL ist jedoch frei von Europapokalstrapazen. Nur zwei Mal, in den Spielzeiten 1972/73 und 1984/85, hat es dies in der jüngeren Vergangenheit bei den Blau-Weißen gegeben. Aber weil klar ist, dass Trainer Heiner Brand nach dem Saisonende aus beruflichen Gründen ebenso ausscheiden will wie Torhüter Andreas Thiel, sind die Blau-Weißen heiß. Schließlich sind sie Handballer nur im Nebenberuf. Brand leitet die Versicherungsagentur Nordstern, Thiel will Anwalt- und Notar werden. „Wir haben alle zusammen richtig Gas gegeben", sagt Petersen. Während andere Vereine nach dem politischen Umbruch in der Bundesrepublik kräftig einkaufen, will Gummersbach Abteilungsleiter Ulrich Strombach die Kasse nicht überstrapazieren. Zur damaligen Zeit ist nur ein Ausländer erlaubt, und beim VfL hat Rune Erland, den alle nur „Wicki" rufen, die Position inne. „Heiner hat uns vermittelt, dass man Spiele in der Abwehr gewinnt", sagt Petersen. Bis Februar 1991 läuft es aus Gummersbacher Sicht normal. Plötzlich wollen die Siege nicht mehr gelingen. Pokal-Aus in Leuterhausen (16:17), die Spiele gegen TuSEM Essen (12:12), VfL Bad Schwartau (17:17), SG Wallau/Massenheim (18:18) enden nur unentschieden. Zum Glück läuft in dieser Zeit das auf zwei Jahre befristete Engagement bei der Bundeswehr für Petersen aus. Er spielt jetzt zunächst nur noch Handball für den VfL und braucht nicht mehr zwei Mal in der Woche nach Essen zu fahren. „Ich habe rund neun Trainingseinheiten pro Woche absolviert, plus Athletiktraining", lächelt Petersen und spricht von Vollbeschäftigung. Doch erst am letzten Spieltag vor den Play-offs wird mit einem 20:17-Heimerfolg gegen den THW Kiel Platz 1 in der

Bundesliga in der heimischen Halle an der Moltkestraße zementiert. Petersen und Gunnar Jaeger drehen mit der Fahne eine Ehrenrunde. Manager Eugen Haas möchte am liebsten die ganze Welt umarmen. Doch die Saison ist noch nicht zu Ende.

Gummersbach braucht im Viertel- und Halbfinale jeweils drei Spiele und feiert im Best-oft-three-Modus zwei 2:1-Siege gegen den TBV Lemgo und TuSEM Essen, das sogar den 38-jährigen Vladimir Vukoje noch einmal reaktiviert. „Der kannte keine Gnade", sagt Petersen und meint das Abwehrspiel des ehemaligen jugoslawischen Nationalspielers mit dem markanten Bart. Gleich danach nimmt Klaus-Dieter Petersen bei der Albert Ackermann GmbH + Co. KG eine Arbeitsstelle als Elektriker an. „Es war einfach üblich, dass ein Spieler arbeitet oder studiert", sagt Klaus-Dieter Petersen. Im Finale wartet nun der THW Kiel auf den Halbprofi. Die Blau-Weißen schießen die Zebras mit einem 22:14-Kantersieg aus der Halle. Aber weil die Tordifferenz keine Rolle spielt, müssen die Norddeutschen das Spiel in der heimischen Ostseehalle nur gewinnen, um ein drittes Spiel zu erzwingen. Klingt einfach, der VfL hat seit dem 17. November 1984 nicht mehr an der Förde gewonnen. Kein Spieler im Kader siegte je zuvor in der Ostseehalle, nur Trainer Heiner Brand war am letzten 25:20-Sieg in Kiel aktiv als Spieler beteiligt. Das wollen die Gummersbacher vor allem für ihren scheidenden Torhüter Andreas Thiel ändern. Tatsächlich gelingt mit einem 13:11-Sieg ein Husarenstreich. Thiel läuft jubelnd durch die Ostseehalle, Petersen schwingt natürlich erneut die blau-weiße Fahne. Das dritte Spiel in der Serie „Best of three" wird hinfällig. Der Titel westdeutscher Meister ist sicher. Aber die Spieler wollen mehr.

Die Saison erfährt ihre dritte Fortsetzung. Dreieinhalb Wochen steht kein Punktspiel auf dem Plan. „Wir sind in den Schwarzwald gefahren und haben dort den Handball nicht angefasst", erinnert sich Petersen an den rustikalen Schwarzbauernhof. Brand ist zuvor Schützenkönig in Gummersbach geworden und bringt bereits einen Titel mit. Eine Förderung des Gemeinschaftssinns seines kleinen Kaders vor den Spielen seines VfL gegen den ostdeutschen Titel- träger der ehemaligen DDR-Oberliga, SC Magdeburg. Acht Mona- te nach der Wiedervereinigung der beiden deutschen Staaten geht es um den ersten gesamtdeutschen Meistertitel. Ein echter Ost- West-Gipfel. Alle stehen unter Spannung. Ein Elektriker wie Peter- sen passt perfekt ins Bild. Gummersbach hat zunächst Heimrecht. 2300 Zuschauer machen die Halle an der Moltkestraße zu einem Hexenkessel. „Wir hätten bestimmt dreimal soviel Karten verkau- fen können", sagt Petersen. Beim 10:4-Vorsprung (28.) droht das Dach wegzufliegen. Petersen blockt im Zentrum, Thiel hält die Bälle, und vorne trifft Andreas Dörhöfer – wie einem Jungbrunnen entstiegen. Lediglich mit 18:15 gewinnen die Oberbergischen und müssen nun zum Rückspiel in die Herman-Gieseler-Halle nach Sachsen-Anhalt. Der Sieger wird aus der Addition der beiden Er- gebnisse bestimmt. Der SCM braucht nur mit drei Toren Differenz zu gewinnen, sofern Gummersbach unter 15 Treffern bleibt. Ein- trittskarten zu zehn-D-Mark werden – handschriftlich verbessert – für den doppelten Wert angeboten. Die VfL-Führung interveniert erfolgreich.

Petersen kümmert das nicht, sagt: „Wir wussten nicht, was uns bei diesen fanatischen Zuschauern erwartet." Dafür ist 60 Minuten Kampf, bedingungsloser Einsatz gefragt, nur dann könnte er im Anschluss seinen ersten Bundesliga-Titel feiern. Es ist bis in die Schlusssekunden dramatisch. Mit einer 16:14-Führung machen sich die Magdeburger auf in den letzten Angriff. Ein Gewaltwurf von Thomas Michel zischt an Thiel und am Tor vorbei. „Andy hat mir gesagt, dass er den Ball gehalten hätte", schmunzelt Petersen. Der Rest ist grenzenloser Jubel. Heiser vor Freude jubelt Eugen Haas:

„Dieser Erfolg kam sicher dem Gewinn eines Europapokals gleich." Das wiedervereinte Deutschland ist längst noch nicht in allen Köpfen zusammengewachsen. Petersen, diesmal ohne Fahne, dafür aber mit einer blau-weißen Schirmmütze, und seine Mitstreiter posieren mit freiem Oberkörper. Sie laufen Ehrenrunden und stellen sich zu einem Foto zusammen. Die Fans haben ihren Helden die Trikots längst vom Leib gerissen und zum Souvenir erklärt. Einer fehlt auf dem Bild: Torhüter Andreas Thiel. DHB-Präsident Hans-Jürgen Hinrichs macht ihn in einer Menschentraube ausfindig und kann die Glückwünsche des Präsidiums überbringen. Danach hat die Schere das Kommando. „Andy hat gleich nach dem Schlusspfiff seinen Bart abrasiert. Das hatte er versprochen", sagt Petersen. Ein lachender Eugen Haas und die Scheinwerfer der ZDF-Kameras sind Zeugen dieser Prozedur. Zurück in Gummersbach wird der heimische Bismarckplatz zur Hauptstadt des Handballs erklärt. Es ist Titel Nummer 27, der dort vor über 5000 Fans ausgiebig genossen wird. „Ich stehe zum ersten Mal auf einem Rathausbalkon und darf feiern", jubelt Petersen. Zu diesem Zeitpunkt ahnt allerdings niemand, dass die zwölfte deutsche Meisterschaft zum Abschied von Trainer Heiner Brand (bis 1994), Torhüter Andreas Thiel und Frank Dammann bis heute die letzte sein wird.

Die Bundesliga wird ab der Spielzeit 1991/92 in einer zweigeteilten Staffel fortgesetzt. Je 14 Clubs in der Nord- und Südstaffel sollen nach der Serie zu einer 18 Mannschaften umfassenden eingleisigen Bundesliga zusammengeführt werden. Gummersbach startet mit Hrovje Horvat, dem Olympiasieger von 1972, als neuem Trainer in der Südstaffel. Der ehemalige Mittelmann der Jugoslawen, seinerzeit ein Lieblingsschüler von Trainer Vlado Stenzel, ist in Handballerkreisen nur unter seinem Spitznamen „Cveba" bekannt. Petersen erinnert sich voller Ehrfurcht: „Für Herrn Horvat war das Team das

Wichtigste. Er ist ein Gentlemen-Trainer, der immer mit allen Spielern trainiert hat. Das haben ein, zwei Spieler zu ihrem persönlichen Vorteil ausgenutzt", berichtet Petersen. Die Laufrunden um die Genkeltalsperre werden nur gemeinsam absolviert. Ausreißer sind nicht erlaubt. Sportlich kommt der Titelverteidiger nicht so recht in Schwung. Richtig stark ist die Leistung im Europapokal der Landesmeister. Gegen Elektromos Budapest (Ungarn) sollte ein 21:15-Heimsieg vom 3. November 1991 reichen. Doch sechs Tage später verliert der VfL 15:24 und scheidet schon in der zweiten Runde aus. Die Zeitungen schreiben von einem Trümmerhaufen, kritisieren die Einstellung der Profis. Das Bundesliga-Play-off, für das Platz vier notwendig ist, wird verfehlt. Im drittletzten Saisonspiel entnervt Torhüter Jan Holpert den VfL und siegt mit dem TSV Milbertshofen 21:20. Eine ähnliche Prozedur wiederholt sich im Viertelfinale des DHB-Pokals, als die Handballer vom Münchner Olympiapark nach Verlängerung mit 20:19 an der Moltkestraße gewinnen. In der Bundesliga wird Gummersbach nur Sechster, ist jedoch für die eingleisige Bundesliga qualifiziert.

Während andere Vereine sich nun wesentlich professioneller aufstellen, bekommt der Traditionsclub die Kurve nicht. „Wirtschaftlich war der VfL einfach von anderen Clubs überholt worden", kommentiert Petersen. Hinter den Kulissen wird der Zankapfel vor der Serie 1992/93 weitergereicht. Meister-Trainer Heiner Brand hat nach einem sportlichen Sabbatical wieder Lunte gerochen. Aber nicht die aus Gummersbach. Er heuert beim finanzstarken Ligarivalen SG Wallau-Massenheim an und pendelt nahezu täglich die rund 160 Kilometer lange Strecke. In Gummersbach nimmt allmählich der Druck auf Horvat zu. Drei Niederlagen zu Saisonbeginn folgen drei Unentschieden, aber nur zwei Siege. Nach dem 18:18 bei Andy Thiels Bayer Dormagen kommt für Horvat auf Platz elf liegend das Aus. „Mit der Rückkehr von Klaus Brand auf den Trainerposten sind die alten Mentalitäten plötzlich wieder gefragt", merkt Petersen an. Im Bruderduell siegt Klaus Brand gegen Heiner Brand 24:23, die Fans scheinen versöhnt. Das Auf und Ab geht weiter, und am letzten Spieltag muss der VfL Heiner Brand zum Titelgewinn gratulieren. Die 24:30-Niederlage lässt die Saison auf Platz zehn abschließen. Es ist das 110. und letzte Bundesligaspiel Petersens für den VfL. Bei der Albert-Ackermann GmbH kündigt er ebenfalls seinen Job. „Wir danken Herrn Petersen für seine sehr gute Leistung und bedauern sein Ausscheiden sehr", heißt es in dem Arbeitszeugnis des Elektro-Unternehmens.

Barcelona – Olympia 1992

Deutschland ist wiedervereint. Der Jubel in der Bevölkerung ist noch nicht verklungen. Für viele Außenstehende hat der Deutsche Handball Bund (DHB) jedoch vor den Olympischen Sommerspielen 1992 in Barcelona viel Zeit verloren. In der Gefühlsduselei werden die beiden Ligen aus Ost und West nicht sofort miteinander verknüpft. Wertvolle Zeit geht für Bundestrainer Horst Bredemeier verloren. Essens Klaus Schorn, der als einziger Bundesliga-Manager nach Einführung der Play-offs nicht „hurra" schreit, kritisiert die hohe Anzahl an Ligaspielen der jeweiligen Bundesliga Nord und Süd und Pokalspiele, verweist außerdem auf die internationalen Einsätze der Clubs sowie der Nationalmannschaft. Bei seinem Rechtsaußen Peter Quarti streikt zwischendrin die Sehne im Wurfarm. Der vom SC Empor Rostock zum VfL Hameln transferierte Rückraumbomber Frank-Michael Wahl kämpft mit Schulterproblemen. Der wurfgewaltige Linkshänder Volker Zerbe (TBV Lemgo) muss gar am Meniskus operiert werden. Das sind nur drei Beispiele von Spielern, die sich angeschlagen und verletzt durch die Saison schleppen und ohne Urlaub auf das olympische Turnier warten. Klaus-Dieter Petersen spult einfach sein Programm zwischen Training in Gummersbach, Spielen in der Eliteklasse und der Arbeitsstätte bei der Albert-Ackermann GmbH ab. Bredemeier erkennt die Grenze der Belastbarkeit seiner Schützlinge und flüchtet lange vorab in Galgenhumor: „Die Überlebenden der Saison nehme ich mit nach Barcelona."

Schließlich ist es doch nicht ganz so dramatisch, allerdings werden aus dem vorläufigen Kader Peter Quarti, der zentrale Mittelspieler Frank Löhr (TSV Milbertshofen) und Torhüter Stefan Hecker (TuSEM Essen) gestrichen. Die Auslese aus der Heerschar guter Handballer beider deutscher Auswahlen ergibt einen 16-köpfigen

Kader mit fünf ehemaligen ostdeutschen Handballern wie Kreisläufer Matthias Hahn, den beidhändig werfenden mittleren Rückraumspieler Stephan Hauck (beide VfL Hameln), Frank-Michael Wahl plus den Außenangreifern Holger Winselmann (SC Magdeburg) und Holger Schneider (VfL Schwartau). Zusammen mit Klaus-Dieter Petersen, dem einzigen Akteur vom Traditionsclub und Rekordmeister VfL Gummersbach, sowie Andreas Thiel, Michael Klemm (beide TSV Bayer Dormagen), Jochen Fraatz (TuSEM Essen), Michael Krieter, Wolfgang Schwenke (beide THW Kiel), Richard Ratka (HSG TuRU Düsseldorf), Volker Zerbe, Bernd Roos (TV Großwallstadt), Hendrik Ochel und Jan Holpert (beide TSV Milbertshofen) soll die gesamtdeutsche Auswahl nun auf dem Spielfeld zusammen auftrumpfen.

Pro Sportler kostet die Reise nach Katalonien für einen Olympiateilnehmer rund 8.000 D-Mark. Kost und Logis sind frei, es soll den Aktiven an nichts fehlen. Das Outfit passt. Nach dem Motto „Kleider machen Leute" lässt sich das Nationale Olympische Komitee nicht lumpen und gibt pro Athlet knapp 2600 D-Mark für die rund 50 Teile der Olympia-Garderobe aus. 28 Jahre nach den Sommerspielen von Tokio tritt erstmals wieder eine gesamtdeutsche Mannschaft an. Zu den 492 Athleten zählen die erst 14-jährige Franziska van Almsick (Schwimmen), die Tennisstars Boris Becker, Michael Stich und Steffi Graf, Gewichtheber Ronny Weller sowie der Fahnenträger der deutschen Mannschaft, Manfred Klein. Er ist der Steuermann des Ruder-Achters. Das Motto der spanischen Olympiastadt „Amigos para siempre – Freunde für immer" lässt sich gut auf das deutsche Team übertragen. Die Spiele in Barcelona sind für alle – egal ob West oder Ost – jetzt so etwas wie ein Neubeginn.

Mitten drin ist der Gummersbacher Klaus-Dieter Petersen. Die Nominierung ist wegen der Beständigkeit im Verein keine Überraschung. „Ich wollte immer an Olympia teilnehmen. Schon früher habe ich die Spiele, ob Winter oder Sommer, natürlich stets intensiv von zu Hause aus verfolgt. Deshalb ist das mein großes Ziel", sagt Petersen, inzwischen 23 Jahre alt. In seiner Jugendzeit belegen die deutschen Handballer 1976 bei den Sommerspielen in Montreal (Kanada) Platz vier und holen 1984 die Silbermedaille in Los Angeles (USA). Diese Spiele werden vom Revancheboykott des Ostblocks als Reaktion auf die Nichtteilnahme der westdeutschen Allianz bei den Sommerspielen 1980 in Moskau (UdSSR) begleitet. „Meine Freude und ich haben uns immer alles, was wir an Informationen zu den Spielen bekommen konnten, reingezogen", sagt Petersen. Plötzlich steht der lange Schlacks aus bürgerlichem Elternhaus selbst im Rampenlicht. Petersen ist die Ruhe selbst. „Ich habe alles auf mich zu kommen lassen, warum sollte ich mich überhaupt unter Druck setzen?", fragt er. Die Teilnahme seiner Auswahl ist allerdings nur möglich, weil die DDR als Achter bei der vergangenen Weltmeisterschaft 1990 in der Tschechoslowakei das Spielrecht für die Bundesrepublik in die Verbandszusammenführung mit einbringt. Willi Daume, Präsident des Nationalen Olympischen Komitees (NOK) frohlockt und hat zuvor schon einmal laut das Projekt Gold oder Silber aufgerufen. Der ehemalige DHB-Präsident, der den Handball zu den Sommerspielen 1972 in München wieder olympisch macht, verpasst der Mannschaft eine imaginäre Spritze mit einem ganz speziellen Wirkstoff: Motivation! Schon die Worte wirken wie ein Nadelstich, der ungewollte Schmerzen bereitet. Bredemeier, dessen Vertrag sich nur beim Gewinn einer Medaille automatisch verlängert, und der eigentlich nie um ein Wort verlegen ist, zuckt zusammen und nennt Rang sechs als Ziel. Alles andere sei Träumerei. Der Bundestrainer zeigt sich damit als Realist, denn der deutsche Handball führt in den vergangenen Jahren ein Schattendasein. Wenn überhaupt, dann geht mit dem Sieg beim zweitklassigen Polar-Cup in Norwegen so etwas wie ein Licht auf. Petersen betont: „Nur weil fünf Spieler aus einem anderen Verband dazukommen, ist man ja nicht gleich wieder Weltspitze".

Klaus-Dieter Petersen winkt bei der Eröffnungsfeier ins Publikum. Im Hintergrund strahlt Bundestrainer Horst Bredemeier.

Das olympische Dorf Poble Nou grenzt im Südwesten an den Hafen Barcelonas. Hier ist die Industrie lange zu Hause. In den beiden Hotels mit Wolkenkratzercharakter sind 3000 Appartements verbaut. „Ein fantastischer Ausblick", schwärmt Petersen, der mit Matthias Hahn, dem Kreisläufer, auf einer Bude hockt. Die Spieler sind zu zweit oder zu dritt gemeinsam untergebracht. Im Dorf gibt es umfangreiche Freizeitmöglichkeiten. Spielräume und Bibliothek gehören genauso dazu wie ein Freilufttheater und eine Disco. Klaus-Dieter Petersen erinnert sich außerdem an das mediterrane Flair, landestypische Speisen wie die in Olivenöl gebratenen und mit grobem Meersalz bestreuten Pimientos de Padrón (kleine grüne Paprikaschoten) oder die Patatas Bravas mit Aioli (würzige Kartoffelstücke mit Knoblauchsauce) sowie eine sehr herzliche Gastfreundschaft der Spanier. Das umgebaute Olympiastadion, welches bereits 1929 für die damalige Weltausstellung erbaut wurde, befindet sich auf dem Hausberg der katalonischen Hauptstadt. Der 173 Meter hohe Montjuïc ist ein großartiger Anziehungspunkt für die meisten der insgesamt 9356 Sportler aus 169 Nationen. Noch heute klingt das offizielle Olympia-Lied „Barcelona", das Montserrat Caballe und Freddie Mercury Jahre vor den Spielen im Duett aufnahmen, in seinen Ohren. Der Bogenschütze Antonio Rebello, der mit einem brennenden Pfeil das olympische Feuer entzündet, sorgt für ein unvergessliches Erlebnis.

Im neu erbauten Palacio de Deportes de Granollers, etwa 25 km nordöstlich des Stadtzentrums von Barcelona, sind die Handballspiele angesetzt. „Der Transport zu den Trainings- und Wettkampfstätten erfolgte über einen Busshuttle", sagt Petersen. Eine Eintrittskarte ist für 13 D-Mark zu bekommen. Keine Veranstaltung ist billiger, besser gesagt preiswerter. Zwölf Männermannschaften sollen in der Halle mit dem sehenswerten Kuppeldach in zwei Gruppen ihre Spiele abhalten. Ein Jahr zuvor belegt Deutschland den fünften Platz im vor-olympischen Turnier, schlägt dabei sogar Weltmeister Schweden. Seitdem hat Petersen kein Länderspiel mehr verpasst, ist mehr und mehr zum Abwehrchef aufgestiegen. Der zwischenzeitliche Koller aus dem vorbereitenden Trainingslager der deutschen Handballer im sauerländischen Menden ist gewichen. So kurz nach der langen Saison dauert es ein wenig, bis das Stimmungsbarometer aus dem deutschen Olympiateam auch die Handballer erreicht. Bredemeier gewährt seinen Spielern die lange Leine. Sie sollen die Atmosphäre aufsaugen. Wahrscheinlich ein fataler Fehler zwischen den feurigen Spanierinnen und den Klängen von Kastagnetten und klackernden Schuhen. „Gerade unsere neuen Mitspieler waren einen ganz anderen Führungsstil gewöhnt", sagt Petersen und ergänzt: „Die Spieler, die früher für die DDR spielten, haben die Freiheit genossen. Dann fehlen einem eben die zehn Prozent."

In der Sonne Barcelonas lässt die kalte Dusche nicht lange auf sich warten. Im ersten Spiel gegen die GUS (Gemeinschaft Unabhängiger Staaten), das Team der ehemaligen Sowjetrepubliken, setzt es eine 15:25-Schlappe. „Leider konnten wir den Schalter nicht umlegen und als reine Einheit auftreten", sagt Petersen. Alle zwei Tage müssen sie raus. Erst im vierten Spiel gegen den Afrikavertreter Ägypten (24:16) gelingt der erste Sieg. Es bleibt der Einzige. Sogar das Spiel um Platz neun gegen die Tschechoslowakei (19:20) wird verloren. „Die Chemie im Team hat nicht gepasst", resümiert Petersen. Allerdings seien die anderen Mannschaften einfach gut gewesen. Bredemeier, sonst wie das Männchen aus der Zigarettenwerbung an der Seitenlinie aktiv und immer kurz davor in die Luft zu gehen, verfolgt die Begegnungen letztlich mit Gleichmütigkeit. Angeblich, weil es die olympische Ordnung so will. Vermutlich hat er schnell erkannt, dass das Konzept nicht aufgeht. „Ich stehe zu dieser Mannschaft, haue sie nicht in die Pfanne", sagt der Bundestrainer und verkündet nach dem Turnier seinen erwarteten Rücktritt. Als einzige Sportart ernten die Handballer vom Redakteur des Kicker-Sportmagazins sogar die Note ungenügend. Das heißt so viel, wie früher in der Schule: Setzen, 6! Die Mannschaften aus Schweden und der GUS ziehen ins Finale ein. Beide Länderauswahlen bleiben ohne Niederlage in den Gruppenspielen und gewinnen außerdem ihre jeweiligen Halbfinalbegegnungen. Im Endspiel siegt die GUS gegen die Tre-Kronor 22:20. Bredemeier wird aus der Heimat für das Abschneiden scharf angegangen. Auch Wallau-Manager Bodo Ströhmann feuert aus allen Rohren. Die deutschen

Handballer seien nur Kämpfer und mit ihrem Latein am Ende, wenn die Kraft nachlässt, heißt es. Ewald Astrath, ehemaliger DDR-Nationaltorwart sieht in seiner Eigenschaft als DHB-Vizepräsident eine taktische Fehlleistung. Das deutsche Spiel sei nur auf die Abwehr ausgerichtet. Das Kompliment wäre Petersen gerne erspart geblieben, wenn er doch zumindest näher an die Medaillenplätze herangerutscht wäre. „Aber es fehlte uns an Erfahrung", bemängelt der Gummersbacher, dem sein Jobsharing zwischen Abwehr und Angriff mit Kreisläufer Matthias Hahn vorgeworfen wird. Martin Schwalb, für den Deutschen Meister SG Wallau-Massenheim im Rückraum für das Torewerfen zuständig und nach dem Desaster bei der C-WM nicht mehr in der Nationalmannschaft aktiv, fällt ebenfalls ein vernichtendes Urteil. „Wir spielen immer noch so kompliziert und kraftraubend wie vor fünf, sechs Jahren. Die Entwicklung zur schnellen, effektiven Spielweise, mit der die Schweden und Russen erfolgreich sind, haben wir schlicht verpennt. Wenn ich jetzt über Spieler diskutiere, muss ich mich erst entscheiden, nach welcher Musik künftig auf dem Parkett getanzt wird." Hinter den Kulissen zanken sich derweil DHB-Präsident Hans-Jürgen Hinrichs sowie Gummersbachs Ulrich Strombach. Hinrichs nennt Strombach einen „Brunnenvergifter". Kiels Manager Heinz Jacobsen, in Spanien als Betreuer der Nationalmannschaft im Einsatz, und mehr als ein geheimer Präsidentschaftskandidat im DHB, hofft einfach, „dass die Pleite von Barcelona nicht auf die Bundesliga zurückfällt".

Klaus-Dieter Petersen sucht zusammen mit den Mitspielern Trost bei anderen Veranstaltungen. Einige Eintrittskarten hat das NOK zusätzlich für andere Sportarten geordert. Normalerweise ist den akkreditierten Sportlern nur der Zutritt zu den eigenen Veranstaltungen erlaubt. „Wenn wir nicht im Stadion waren, haben wir uns die Übertragungen am Fernseher angeschaut", sagt Petersen. Sie freuen sich über die Erfolge der Radsportler, der Hockey-Nationalmannschaft um Idol Carsten „Calle" Fischer, Rad-Bahnfahrer Jens Lehmann, die Siege der Leichtathleten Dieter Baumann (5000 m), Heike Henkel (Hochsprung), Silke Renk (Speerwurf) und Heike Drechsler (Weitsprung). Aber auch das Herren-Tennisdoppel von Boris Becker und Michael Stich, bei denen es immer heißt, sie können nur gegeneinander, aber nie miteinander spielen, sorgt mit der Goldmedaille für Begeisterung. Die deutsche Olympia-Mannschaft gewinnt schließlich 33 Gold-, 21 Silber- und 28 Bronzemedaillen und belegt den dritten Platz im Medaillenspiegel. „Die Eindrücke, die ich bei den Spielen gewonnen habe, sind schon sehr groß", sagt Petersen und gesteht: „Der Fokus lag nicht zu einhundert Prozent auf Handball." Es werden Bekanntschaften mit der Welt des Sports geschlossen.

Ein Traum erfüllt sich nicht, die Begegnung mit den US-amerikanischen Basketballern, dem sogenannten Dream-Team. „Einen Michael Jordan habe ich als junger Sportler eben noch nicht groß gesehen", sagt Petersen über den Mann von den Chicago Bulls, der als bester Spieler der heimischen Profiliga gilt. „Leider sind die Spiele immer ausverkauft." 12.500 Fans stürmen in die Plaça del President Tarradellas. Ihr Coach Chuck Daly sieht in dem Team eine Vereinigung von Elvis und den Beatles: „Es ist, als ob man mit zwölf Rockstars reisen würde." Das ist übertrieben, schließlich sind es nur elf lebende Legenden. Den Platz Nummer 12 im Team nimmt Christian Laettner ein. Er spielt Basketball an der Duke University und ist „nur" bester College-Spieler im Land und damit natürlich noch Amateur. Das Dream Team erweist dem ursprünglichen olympischen Amateurgedanken damit eine Ehre. Diese Regelung, dass Profis nicht teilnehmen können, wird erst zu den Spielen in Barcelona aufgehoben. Sportlich sind die Wundermänner eine Rarität. Es stellt sich allenfalls die Frage nach der Höhe der Erfolge, wenn eben Earvin „Magic" Johnson (Los Angeles Lakers), Larry Bird (Boston Celtics) mit Jordan und Scottie Pippen (ebenfalls Chicago Bulls) in einer Mannschaft auflaufen. Der Auftakt gegen Angola endet 116:48. Spanien unterliegt nur 81:122 und feiert ein tolles Resultat. Zwischen 33 und 68 Punkten Unterschied distanzieren die Superstars die Kontrahenten, die keine sind. „Ich finde einfach Patrick Ewing unglaublich", sagt Petersen. Ewing misst immerhin 2,13 Meter und wirkt unglaublich breit. Der Mann von den New York Knicks ist jedoch nicht der größte Spieler. David Maurice Robinson (San Antonio Spurs) ragt noch drei Zentimeter mehr in die Höhe. Für die deutsche Auswahl mit NBA-Profi Detlef Schrempf endet das Match mit 68:111. Platz sieben gilt als ordentliches Ergebnis. Vor dem letzten Auftritt seiner Eleven rät Daly den Kroaten, die das Endspiel erreichen und in der Vorrunde mit 70:103 den Kürzeren ziehen, vor dem ersten Ballwechsel unter den 3,05 Meter hohen Körben: „Sie können nach Hause fahren und ihren Kindern erzählen, ich habe gegen Jordan, Johnson und Bird gespielt." Mit konzentrierter Verteidigung erzwingen die US-Boys immer wieder Ballverluste – der Rest sind Schnellangriffe und Dunkings, wie zum Beispiel von Charles Barkley (Phoenix Suns), der den Ball wie kaum ein Zweiter durch den Ring hämmert. „Leider sind wir uns im olympischen Dorf nie begegnet", bedauert Klaus-Dieter Petersen. Die Superstars wohnen im Luxushotel Princesa Sofia im Süden Barcelonas und werden strengstens bewacht, spazieren dennoch über die La Rambla, die 1,2 km lange Promenade im Zentrum der Hauptstadt. Sie amüsieren sich mit barbusigen Girls auf dem Hoteldach oder am Swimmingpool. Dass die ganze Nummer ein perfekt inszenierter Werbegag eines amerikanischen Sportartikelherstellers ist, stört niemanden. Dirk Bauermann, der das Trainerhandwerk in Amerika erlernt hat und damals Coach von TSV Bayer 04 Leverkusen ist, zeigt sich begeistert. „Das Dream

Team hat den Basketball endgültig auf die Landkarte des internationalen Spitzensports gebracht. Da bekomme ich heute noch eine Gänsehaut, wenn man darüber nachdenkt, wie diese Mannschaft besetzt war und wie sie gespielt hat. Also war sie der bestmögliche Botschafter für unsere Sportart", sagt Bauermann viele Jahre später der tz, einer Münchner Boulevardzeitung.

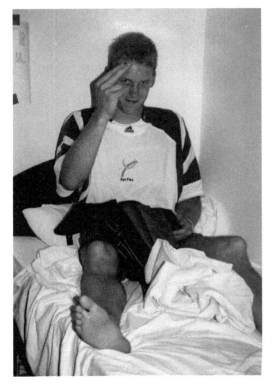

Klaus-Dieter Petersen während der Olympischen Spiele 1992 in dem deutlich zu kleinen Bett. „Aber wir sind zum Handball da und nicht zum Schlafen", lautet stets das Credo.

Derweil entdeckt Petersen wohl wegen der Nähe des olympisches Dorfes zum Wasser eine neue Sport-Begeisterung: das Segeln. Dort weht der Wind, denn die Sonne im Glutofen von Barcelona ist für einen hellen Blondschopf nicht immer zu ertragen. Im Soling, einem Kielboot, segelt Jochen Schümann mit den Vorschotern Thomas Flach und Bernd Jäkel (alle SC Berlin-Grünau) mit Platz vier knapp an einer Medaille vorbei. Die Segler mit dem griechischen Buchstaben Omega im Segeltuch bestreiten zunächst eine Reihe von Flottenrennen. Sechs Boote qualifizieren sich für ein Round-Robin-Rennen – jeder gegen jeden im Kopf-an-Kopf-Match. Später folgen Halbfinale und Finale. Zum ersten Mal wird dieses Format bei den Olympischen Spielen verwendet. „Das war echt spannend", erinnert sich Petersen. Zehn Wettbewerbe sind im Port Olímpic, dem nahen Hafen der Stadt am Mittelmeer ausgeschrieben. Schließlich gehen die 16 Tage andauernden Spiele mit einem großen Feuerwerk zu Ende. Bei den Handballern brennt die Lunte noch lange nach.

Kiel I (1993 bis 1996)

Nun ist Klaus-Dieter Petersen in Kiel angekommen. Für drei Jahre hat er bei den Zebras unterschrieben. Er will helfen, den schlafenden Riesen, wie die Landeshauptstädter allein aufgrund ihres Zuschauerpotenzials genannt werden, wachzuküssen. Aus dem Dornröschenschlaf holen, nennen es andere. Außerdem will er endlich ein kompletter Handballer werden. In Gummersbach gilt „Pitti" lediglich als Abwehrspezialist, erlaubt sind Vorstöße nur zum Zwecke des Gegenstoßes über die Zweite Welle. „Wer nur in der Abwehr spielt, ist nur ein halber Handballer, ich will endlich ein ganzer werden", setzt sich Petersen mit der Unterschrift selbst unter Druck. Jetzt kommt er unter die Fittiche von Zvonimir Serdarušić, einem früheren Kreisläufer mit Weltklasseformat, der überall nur Noka gerufen wird, weil er seinen eigenen Vornamen nicht mag. Der Trainer, 42 Jahre alt, hat 1990 den VfL Bad Schwartau im ersten Jahr seiner Trainertätigkeit in die Erste Bundesliga geführt. Das Kunststück wiederholt er darauf mit der SG Flensburg-Handewitt – ohne Punktverlust (52:0 Punkte) führt er den Club 1992 zurück in die höchste deutsche Spielklasse. Uwe Schwenker hat längst ein Auge auf Serdarušić geworfen, der wird vom Geschäftsführer in der Saison darauf zum THW Kiel gelotst. Schwenker will nach der Demission von Holger Oertel nicht länger (Interims-) Trainer sein. Manager Heinz Jacobsen verpflichtet vor seinem letzten Amtsjahr derweil Petersen. Vorangegangen ist ein erster kleiner Machtkampf zwischen Schwenker und Jacobsen. Schwenker will lieber einen Angreifer statt eines Abwehrspielers. Jacobsen hingegen möchte den ehemaligen DDR-Auswahltrainer Klaus Langhoff verpflichten. Das Duell geht unentschieden aus. Jeder bekommt einen Teil seines Willens. Nun steht er da, der neue Trainer: Serdarušić. Er wird im Haus von Hauptsponsor Provinzial der Öffentlichkeit vorgestellt. Viele Worte

sagt er nicht. Nur, dass er Meister werden will. „Wie lange läuft Ihr Vertrag?", wird der neue Coach keck gefragt. „Zwei Jahre", antwortet Serdarušić nicht minder. Gemurmel unter der Journalie. Seit 30 Jahren wartet der THW Kiel schließlich auf einen Titelgewinn. Fritz Westheider (1957) und Hein Dahlinger (1962, 1963) heißen die letzten Meistertrainer bei den Schwarz-Weißen. „Ich habe in Gummersbach immer um die Meisterschaft mitgespielt", mischt sich Petersen ein. Das ist ein bisschen geflunkert. Im Meisterrennen ist er nur in seinen ersten beiden Jahren wirklich dabei, holt einen (sogar gesamt-) deutschen Titel. Aber Petersen ist gestandener Nationalspieler und Olympiateilnehmer, darf sich, ja soll sich einmischen, polarisieren. Dagegen sind die beiden A-Jugendlichen Oliver Herzog und Hauke Müller so etwas wie Frischlinge. „Dieses fantastische Publikum hat eine Meisterschaft verdient", lässt Noka Serdarušić wissen. Der Trainer kennt Kiel noch aus seiner Zeit als Spieler. Schwenker schiebt ein, „du wirst hier der Otto Rehhagel des Handballs" hinterher. Zu dieser Zeit ist der Bremer Fußballlehrer bereits zwölf Jahre beim SV Werder Bremen, feiert zwei deutsche Meisterschaften, einen DFB-Pokalsieg und einen Europacuperfolg an der Weser. Die Journalisten haben damit pünktlich zur Saisoneröffnungspressekonferenz die gewünschten Schlagzeilen bekommen. Schließlich sind die Kieler zuletzt so etwas wie ein ewiger Zweiter. Viermal müssen sich die Zebras seit 1983 mit der Vizemeisterschaft zufriedengeben. Sogar siebenmal seit 1963.
Beim obligatorischen Mannschaftsfoto wird jedoch noch eine Sicherheit eingebaut. Die Spieler positionieren sich im Bugnetz des Segelschulschiffes Gorch Fock. Das könnte sinnbildlich als Schutz vor einem Absturz verstanden werden. Petersen trägt wie zuvor in Gummersbach die Nummer 9 eines blauen Trikots. Der THW spielt seit 1990 nicht mehr in den Farben schwarz und weiß, soll offenbar maritimer rüberkommen. Sogleich hat Serdarušić die Trainingstage

bei den Kielern erhöht. Von fünf auf sieben Einheiten. Jetzt kann zweimal sogar vormittags trainiert werden – in Molfsee vor den Toren Kiels. Für Petersen gilt das nicht. Der Energieanlagenelektroniker ist in Kiel kein Vollprofi, was seit Gründung der GmbH 1992 an der Förde wegen der Ausgliederung aus dem Gesamtverein steuerrechtlich kein Problem mehr darstellt. Er will parallel zur Handballlaufbahn in Kiel noch die Fachhochschulreife erwerben. Dazu besucht er die Berufliche Schule am Schützenpark und bereitet sich auf die Aufnahme eines Studiums an einer Fachhochschule vor. Der Unterricht umfasst an fünf Werktagen 33 Wochenstunden. Auf der Stundentafel stehen die Fächer Deutsch, Englisch, Mathematik sowie Religion, Wirtschaft/Politik und natürlich Sport. Ergänzt wird das Portfolio von Technologie sowie Informationstech-

Trainer Noka Serdarušić gibt dem THW den Ton an. Die Spieler müssen nach seiner Pfeife tanzen und ordnen alles dem Erfolg unter.

nik, Physik und Chemie aus dem fachbezogenen Lernbereich. Petersen erscheint jeweils erst zum Abendtraining beim THW, das zumeist in der Helmut-Wriedt-Halle im Kieler Stadtteil Hassee abgehalten wird. Einheitliche Trainingszentren gibt es damals allenfalls im Ostblock. Ein Jahr muss der neue Kieler Jung' die Schulbank drücken. „Gerade am Anfang war das ziemlich anstrengend", erinnert sich Petersen. Schließlich liegt die Schulzeit aus Hannover schon acht Jahre zurück. „Natürlich habe ich einiges vergessen, aber das lässt sich aufholen", meint er ehrgeizig.

Serdarušić findet beim Trainingsstart von Anfang an den richtigen Ton in der Mannschaft. Mal hart, mal zart, aber vor allem konsequent. Sportler schätzen das. Dazu stellt sich der Trainer immer vor seine Mannschaft. „Noka hatte für jeden Spieler immer ein offenes Ohr. Aber das Training lässt kein Hemd trocken. Normalerweise hätte auf den Linien in der Halle schon keine Farbe mehr sein dürfen, so oft wie wir dort längs gelaufen sind", schmunzelt Petersen. Aber der THW ist richtig fit. Die Wochen, in denen zwischen Montag und Freitag keine Spiele sind, werden besonders intensiv genutzt. Außerdem haben sich die Männer um den Welthandballer und Kapitän Magnus Wislander vorgenommen, endlich auch regelmäßig Auswärtsspiele in der Bundesliga zu gewinnen. Bislang war der THW nur in der heimischen Ostseehalle eine Macht. Dazu wird die 3:2:1-Deckungsformation neu ins Abwehrprogramm aufgenommen. „Der THW hatte bisher nur 6:0 gedeckt", sagt Petersen. Dabei wartet Torhüter Michael Krieter stets in seinem Torwarteck, das durch die Wurfhand des Schützen vorgegeben ist auf den Ball, während die Vorderleute Schwerstarbeit verrichten müssen. Ist der Block aber überwunden, ist das Tor allerdings zu einfach zu erzielen. Jetzt aber ist Petersen der Mann in der Mitte, läuft, dirigiert, parliert – quasi eine Art Libero der offensiven Abwehrvariante. „Erfolg erfordert keine großen Worte, sondern viele kleine Schritte", sieht Petersen den Trumpf in der Beharrlichkeit. Die zuerst angewandte jugoslawische Variante hat Trainer Serdarušić immer weiter perfektioniert. Petersens Aufgabe ist es, den Kreisläufer stets wurfarmgerecht zu bewachen, um dem Angreifer eine Wurfmöglichkeit von dessen Schokoladenseite zu nehmen. „Gegen die Hand, also entgegen dem Wurfarm, können sich die wenigsten behaupten", weiß Petersen. Außerdem stellt er die Lücken zu den Halbverteidigern zu, agiert oft diagonal. Wesentliches Merkmal der Abwehr ist jedoch das Bekämpfen der Gegenspieler. „Diese Abwehr ist gegen alle Angriffssysteme anwendbar", ergänzt Petersen.

Siehe da, der Erfolg lässt nicht lange auf sich warten. Nach einer schweißtreibenden Vorbereitung, die Petersen als bislang härteste seiner Laufbahn bezeichnet, steht die Pflanze THW in zarter Blüte. Die Kieler starten am 12. September 1993 mit einem 23:16-Auswärtssieg bei TuSEM Essen. In der Grugahalle haben sie zuvor in 14 Anläufen nicht einmal gewonnen. Vier kümmerliche Unentschieden gibt es seit 1980. Nun genießen sie den ersten Kieler Auswärtssieg seit fast einem Jahr. Nur den neuen Trainer Serdarušić haben die Männer aus der Landeshauptstadt im September 1992 an dessen alter Wirkungsstätte bei der SG Flensburg-Handewitt mit einem 18:17-Erfolg geärgert. Das Team von der Kieler Förde dreht nun richtig auf. Plötzlich stehen 13:3 Punkte auf dem Konto, der THW grüßt von Platz 1, ist sogar noch ungeschlagen. „Da bin ich montags natürlich immer besonders gern zur Schule", lacht Petersen. Schließlich darf er seinen Mitspielern außerhalb der Deutschstunde und den Interpretationen der Schriftsteller Friedrich Nietzsche und Siegfried Lenz von den Erfolgsreimen des THW berichten.

Vor jedem Spiel werden alle Mitspieler intensiv informiert. Zu Hause beim Trainer. Im Keller. So ausgiebig und informativ wie nie zuvor. Abgeschirmt von allen äußeren Einflüssen. „Das Videostudium im Hause von Trainer Serdarušić war stets ein kleines Fest. Nokas Frau Mirjana hat uns stets mit ihren Kochkünsten verwöhnt", verrät Petersen und ergänzt: „Die Jungs müssen viel Fleisch essen." Nicht nur deshalb hat der Trainer, der einzelne Szenen mithilfe seiner beiden VHS-Videorekorder kopiert und damit das Anschauen der Aufzeichnungen nicht unnötig in die Länge gezogen. „Jeder weiß schon vor dem Spiel um seine Aufgabe. Wir gehen perfekt vorbereitet in jedes Spiel. Noka hat sich aufgrund seiner Akribie richtig viel Arbeit gemacht", lobt Petersen. Jetzt steht dem THW noch das erste komplette Livespiel im Fernsehen in der Handball-Bundesliga bevor. In der Vergangenheit wurde – wenn überhaupt – eine Halbzeit in den öffentlich-rechtlichen Programmen übertragen. Nun erhebt der Spartensender VOX, der sich damit aus dem dreistelligen Bereich einer Fernbedienung schnell weit nach vorne katapultieren will, seine Stimme und versucht die erworbenen Rechte umzusetzen. Dazu wird die Heimpartie des THW Kiel gegen den HSV Düsseldorf als Spiel der Woche auf Donnerstag, 4. November 1993 verlegt. Um 20.10 Uhr – zehn Minuten vor dem Anpfiff – begrüßt Moderator Holger Kurschat die Zuschauer an den TV-Geräten, hat Bundestrainer Arno Ehret als Interviewpartner zu Gast. Allerdings ist donnerstags kein guter TV-Termin für Handballer. Für die vielen Amateurmannschaften ist das der wichtigste Trainingstag in der Woche. Deutschlandweit werden die Fernsehgeräte nicht regelmäßig genug eingeschaltet. „Wir sind natürlich total heiß und wollen allen zeigen, warum diesmal keiner an Kiel vorbeikommt", sagt Petersen. Der THW siegt 25:19 und demonstriert eindrucksvoll seine Stärke. „Wir haben Werbung für den Handball gemacht. Und endlich einmal vor mehr als 7000 Zuschauern gespielt", kommentiert Petersen. Die Premiere sehen laut Gesellschaft für Konsum, Markt- und Absatzforschung (kurz GfK) 460.000 Menschen, Kommentator Jürgen Höthker führt durch das Spiel. Die Fachzeitschrift Sport Bild bescheinigt ihm ein ordentliches Debüt. Auf dem Weg zur Herbstmeisterschaft rutschen die Kieler aber noch aus. Gegen den Landesrivalen VfL Schwartau gibt's im Eispalast von Timmendorf beim 23:24 die erste Saisonniederlage. Bei der SG Flensburg-Handewitt bleiben nach einem 14:21

die Punkte liegen. „Wir sind trotzdem nicht eingebrochen, weil alle topfit sind", sieht Petersen im kleinen Kader die Vorteile. Der THW wird mit einem 29:12-Sieg über den TSV Bayer Dormagen nach neun Jahren wieder Herbstmeister. „Von der Ostsee bis zu Isar – immer wieder THW", hallt es durch das Ostseehallenoval. Die Kieler bleiben in der Spur, holen bei der teuersten Ligamannschaft, SG VfL/BHW Hameln, ein 20:20. Es ist das achte Unentschieden. Die nachfolgende 14:20-Niederlage in Magdeburg ärgert Petersen besonders. „Wir haben wie die Mädchen gespielt", flucht er. Der THW kommt nicht vom Kurs ab, revanchiert sich in der Rückrunde mit klaren Siegen gegen die Landesrivalen aus Schwartau und Flensburg. Nach einem 24:15-Erfolg über den OSC 04 Rheinhausen ist der Titel bereits am vorletzten Spieltag perfekt. „Danach haben wir nur noch gefeiert", erinnert sich Petersen, der sich vor dem Spiel ein „DM94" in das Hinterhaar rasiert. Martin Schmidt und Mannhard Bech folgen ihrem Abwehrchef in der Frisurvariante. Nach 31 Jahren stehen die Kieler Handballer wieder auf dem nationalen Thron. Aber in der Kabine gibt's kein Bier. Die Betreuer haben vergessen, welches einzukaufen. Die Schale wird jedoch erst nach dem letzten – mit 28:26 siegreichen – Spieltag in Dormagen übergeben.

Vor dem Rückflug nach Kiel wird Manager Heinz Jacobsen von der Mannschaft in der Halle durch die Luft gewirbelt. Auf der Reise nach Kiel-Holtenau mit einer ATR 42 der dänischen Fluggesellschaft Cimber Air, einem Turboprop mit rund 50 Sitzplätzen, schwingt sich Petersen zum Taktgeber des Kieler Partymarathons auf. Es ist die Geburt des Zeremonienmeisters Petersen, der später noch Kinoabende für die Mannschaft inklusive Familie organisieren soll. In bester Discjockeymanier heizt er der Mannschaft, mitgereisten Fans und den begleitenden Reportern via Bordmikrofon ein. „Ist doch klar, dass wir die Nacht zum Tag gemacht haben", lacht Petersen. Das Vereinsheim am Krummbogen wird kurzerhand schwarz und weiß angemalt. Bier und Schampus fließen in Strö-

men. Vor allem das Dosenstechen beim Bier wird eine Art Volks-
sport. Hier wird das Bier besonders schnell ausgetrunken. Dabei
sticht man ein Loch in den Boden der Dose, öffnet den Verschluss
und lässt das Bier einfach in den Mund laufen. „Alles eine Frage
der Technik", lacht Petersen. Spieler wie Wolfgang Schwenke und
Thomas Knorr sollen bis zum Empfang im Landeshaus, dem Sitz
des Ministerpräsidenten, am anderen Tag kein Auge zugemacht
haben. Petersen und Krieter kommen mit dem Polizeiauto und
Blaulicht an den Kieler Kneipen vorgefahren, so lange, bis Petersen
ein Fahrrad aus dem Kleinen Kiel (einem seichten Gewässer mit
Verbindung zur Förde) fischt und damit nun weiterfährt. „Damals
war noch alles erlaubt", erinnert sich Petersen. Das stimmt natürlich nicht ganz.

*Das Team vom THW Kiel verkleidet als Blues Brothers. Klaus-Dieter
Petersen sitzt hinten links.*

Keine 24 Stunden nach der Übergabe der Meisterschale ist der THW bei Ministerpräsidentin Heide Simonis, der ersten Frau in diesem Amt in Deutschland nach dem Rücktritt von SPD-Hoffnungsträger Björn Engholm, geladen. Die Glückshormone der Spieler, die im schwarzen Anzug der Blues Brothers, einer US-amerikanischen Filmkomödie, auftreten, fahren immer noch Karussell. Da muss auch der Trainer leiden. Vor den Augen von Simonis wird Serdarušić mit Sekt übergossen. Petersen und Wislander ruinieren den Anzug des Trainers und sorgen bei ihm für ganz schlechte Laune. Serdarušić verlässt den Empfang wütend, fliegt auch nicht mit der Mannschaft zur Abschlusssause nach Mallorca. Wislander und Petersen bitten bei Serdarušić zu Hause – in Polizeiuniform – auf Knien um Entschuldigung. Aber der Meistertrainer bleibt bei seinem Nein. Die Mannschaft fährt ohne den Coach. Petersen schreibt sich kurz vor seinen Abschlussprüfungen in der Schule noch schnell eine Entschuldigung und steht ohne Klamotten auf Deutschlands liebster Urlaubsinsel. „Die haben meinen Koffer nicht mitgenommen", meint er. Die Mitspieler sagen etwas anderes. „Pitti hat den Koffer am Bahnhof stehen lassen."
Die Woche der Heiterkeit ist schnell zu Ende. Petersen schreibt die Abschlussklausuren, legt die mündliche Prüfung ab. Stolz hält er die Berechtigung, an einer Fachhochschule studieren zu können in der Hand. Aber Sommerurlaub gibt es keinen. Die Europameisterschaft mit dem Nationalteam in Portugal steht noch an. Erst im Anschluss ist ein wenig Zeit zum Durchschnaufen, ehe Noka Serdarušić seine Schützlinge zur Saisonvorbereitung bittet. „Die Meisterschaft sollte schließlich keine Eintagsfliege bleiben", fordert nicht nur Petersen Konstanz. Das Gesicht des THW wird nur leicht verändert. Uwe Schwenker behält nun endgültig die langen Hosen an, taucht nicht mehr auf dem Spielfeld auf. Als Neulinge kommen Torhüter Carsten Hein (BW Spandau), Linkshänder Hendrik Ochel

für die rechte Angriffsseite und Michael Menzel (SG Flensburg-Handewitt), der die Arbeitsstelle von Ingo Ahrens einnimmt, für den rechten Flügel hinzu. Für Ochel zahlt der THW sogar eine Ablöse im sechsstelligen Bereich an die SG VfL/BHW Hameln. Größtes Handicap ist vor der Saison jedoch die Kreuzbandverletzung von Thomas Knorr bei der Europameisterschaft, sodass Schwenker noch Frank Cordes vom schleswig-holsteinischen Nord-Regionalligisten TS Riemann Eutin verpflichtet. Zusammen mit Wolfgang Schwenke strahlt er von der Königsposition Torgefährlichkeit aus. Sie profitieren alle von der Genialität ihres Spielmachers Magnus Wislander. „Aber die Abwehr ist unser großes Plus", freut sich Petersen. Lediglich zwischen 17 und 23 Gegentreffer müssen die Kieler in den ersten zehn Bundesligaspielen hinnehmen. 18:2 Punkte stehen auf der Habenseite, ehe es beim TBV Lemgo die erste Saisonniederlage setzt. Zum Ende der Hinrunde sind die Zebras (23:7) mit fünf Punkten Vorsprung davon galoppiert, vor dem SC Magdeburg, TV Großwallstadt, TSV Bayer Dormagen, SG Wallau/Massenheim und SG VfL/BHW Hameln, die punktgleich (18:12 Zähler) die Plätze zwei bis sechs einnehmen. Petersen ist zudem wieder ein Stück besser im Angriff geworden. „Wir haben ganz viel individuell trainiert", verrät der Kreisläufer. Während andere Trainer ihm früher sagen, „du musst nur nach hinten fallen", vermittelt Serdarušić die für den Kreisläufer wichtigen Stellungsvorteile sowie die Drehungen zu beiden Seiten (Wurfarm- und Wurfarmgegenseite) und das perfekte Abrollen über die Schulter. „Außerdem hat er mir gezeigt, was alles erlaubt ist und was ich an der Grenze des Erlaubten anwenden kann", lächelt Petersen.

Aber zur Rückrunde kommen jetzt die Spiele in der Champions League dazu. Erstmals seit 1962 sind die Zebras wieder auf der Ebene der Landesmeister in Europa vertreten. Die Königsklasse wird nach der Qualifikation in zwei Gruppen mit je sechs Gruppenspielen durchgeführt. Die beiden besten Mannschaften unter den acht Teams bestreiten das Finale. National spielt der THW weiter die erste Geige, international laufen die Zebras der Musik hinterher. Dort gibt es auswärts drei Niederlagen. In den Heimspielen aber drei Siege. In der Bundesliga sind schon 41:9 Punkte erreicht. Die zweite Meisterschaft ist zum Greifen nahe. Allerdings stürmt Hameln die Ostseehalle und bringt den Kielern die erste Heimniederlage seit 22 Monaten bei. Die Kieler verlieren danach nur noch bei der SG Flensburg-Handewitt, sind vor Saisonende zum zweiten Mal in Folge deutscher Meister und feiert dies in schwarz-weiß-gestreiften Trikots. Unter der Hallendecke der Ostseehalle kommt ein Zebra, das aus Tausenden von Luftballons geformt ist, zum Vorschein. „Es ist nicht mehr ganz so euphorisch wie im vergangenen Jahr, aber trotzdem hatten wir noch viel Spaß auf unserer Feier", schmunzelt Petersen. Der Anzug des Trainers bleibt diesmal von einem Angriff seiner Spieler verschont und damit trocken. Nur mit dem DHB-Pokal will es noch nicht klappen. Im Halbfinale verliert der THW nach Verlängerung gegen den TBV Lemgo.

Vor der Spielzeit 1995/96 heißt der Modus Operandi, noch härter zu trainieren. Der THW ist wieder einmal auf drei Hochzeiten gefordert. „Wir wollen wieder deutscher Meister werden, aber auch den deutschen Handball international gut repräsentieren", sagt Petersen. Einen Titelhattrick haben die Kieler in ihrer Vereinshistorie noch nicht geschafft. Zuletzt legte zuletzt der TV Großwallstadt, der von 1978 bis 1981 sogar viermal in Folge auf dem obersten Thron stand, einen Hattrick hin. Im Kollektiv sieht Serdarušić die Stärken seiner Mannschaft. Dass Spieler wie Wolfgang Schwenke (VfL Bad Schwartau) und Frank Cordes (SG Wallau-Massenheim) dem Lockruf des Geldes gefolgt sein sollen, blenden die Kieler aus. Mit Olaf Mast (OSC 04 Rheinhausen) für Kay Germann (VfL Fredenbeck) holt der THW nur einen Spieler aus der Ersten Bundesliga. Holger Menke (TV Emsdetten) und Karsten Wöhler (1. SC Göttingen 05) kommen aus der Zweiten Bundesliga Nord. Eine Schlankheitskur à la Kiel, um Gehaltskürzungen zu umgehen. Dafür ist Thomas Knorr nach auskurierter Kreuzbandverletzung aus der Reha zurück. Die Kieler kommen schwerlich in Fahrt. 7:5 Punkte sind nach sechs Spielen eingesammelt. An der Spitze steht der TuS Nettelstedt mit 10:2 Punkten. Aber nach zwei Monaten ohne Niederlage mischen die Kieler wieder im Meisterschaftskampf mit. Dazu wird erneut die Gruppenphase in der Champions League erreicht, und im DHB-Pokal steht der THW im Viertelfinale.

Aber das zweite Halbjahr der Saison wird zu einer Nervenschlacht. Erst kommt das Aus im DHB-Pokal in Magdeburg, anschließend verletzt sich Magnus Wislander Anfang Februar 1996 im Auswärtsspiel der Champions League bei Elgorriaga Bidasoa Irun (Spanien). Der Schwede zieht sich einen Spiralbruch der Mittelhandknochen in der rechten Wurfhand zu. Herbstmeister Kiel stürzt nach drei Bundesliga-Niederlagen hintereinander auf Rang drei ab. Serdarušić funktioniert Co-Trainer Horst Wiemann, einen Kreisläufer, zum Spielmacher um. Es dauert ein bisschen, aber die Zebras kommen wieder in den Galopp. Gegen die SG Wallau-Massenheim liegt Spitzenreiter THW sechs Spieltage vor Saisonende 14:17 zurück, das Publikum in der Ostseehalle fordert Wislanders Einsatz lautstark. Schließlich darf das Spiel nicht verloren werden, weil Nordrivale SG Flensburg-Handewitt ebenfalls schon den Titel im Visier hat. Endlich: Serdarušić erhört die Rufe nach dem 15:17-Rückstand (42.). In seiner ersten Aktion erzielt der Schwede mit einem Kullerball und mithilfe des Innenpfostens den Anschlusstreffer. Zwei weitere Tore und ein direkt verwandelter Freiwurf von Thomas Knorr sorgen für einen 24:23-Sieg des THW. Vor dem 26:21 im letzten Saisonspiel gegen den TV 08 Niederwürzbach steht der THW als Meister fest. Das ruft wieder einmal den Zeremonienmeister Petersen auf den Plan. Der künftige Rückraumspieler Staffan Olsson wird auf die Schippe genommen. „Der Wechsel steht ja schon lange fest, und deshalb tragen wir beim Einlaufen alle die typischen langen Olsson-Haare", erinnert sich Petersen. „Ich hatte vorher eine Wette verloren, sodass meine Haare rot gefärbt waren." Die Freude nach dem dritten Titel hintereinander ist fast grenzenlos. „Dieser Titel-Gewinn war von allen Dreien der schwerste", sagt Trainer Noka Serdarušić erleichtert. Vor der Halle wird gefeiert. Thomas Knorr und Klaus-Dieter Petersen werfen sich als Stage-Diver in die Menge, andere Spieler lieber nur ihre Trikots. Dazu schmettert Petersen seine Unterschrift unter einen neuen Vertrag. Er bleibt mindestens bis 1999 ein Kieler.

Atlanta – Olympia 1996

Es gibt sie wohl nur bei Olympia, die ergreifenden Momente, die die Herzen der Zuschauer, Sportler und Milliarden von TV-Zuschauern zum Zerreißen bringen. Die sogenannten Jahrhundertspiele in den Vereinigten Staaten von Amerika (USA) gehören ganz bestimmt dazu. In Atlanta, der Hauptstadt des Bundesstaates Georgia im Süden der USA geht vom 19. Juli bis 4. August 1996 die neue Rekordzahl von 10.320 Sportlern aus 197 Nationen in die Wettkämpfe. Die Eröffnungsfeier wird wohl allen ewig im Gedächtnis bleiben. Weit über 30 Grad ist es an diesem Abend warm. Die Luftfeuchtigkeit liegt zwischen 80 und 90 Prozent. Die Los Angeles Times sprechen im Vorfeld von „Hotlanta". Fast vier Stunden sind nach den ersten Aufführungen und dem Einmarsch der Nationen – für Deutschland trägt Degenfechter Arnd Schmitt die Fahne – bereits vergangen. Klaus-Dieter Petersen ist bei seiner zweiten Olympia-Teilnahme mit den deutschen Handballern in weiser Voraussicht nicht mit im Stadion. Er verfolgt die Zeremonie im olympischen Dorf, im Appartement mit seinem Zimmergenossen Thomas Knorr und anderen Mitspielern vor dem TV-Gerät.
Die Nacht ist im Centennial Olympic Stadium bereits hereingezogen. Das Flutlicht und die Scheinwerfer sorgen für Helligkeit. Über die Stadionlautsprecher ist die Sinfonie „Ode an die Freude" von Ludwig van Beethoven zu hören. Im Fokus der letzten Stadionrunde ist die ehemalige US-Schwimmerin Janet Evans, die die Fackel mit dem olympischen Feuer vom Landsmann Evander Holyfield und der griechischen Athletin Voula Patoulidou entgegennimmt. Sie läuft auf der Tartanbahn, hält die Fackel in der rechten Hand und winkt mit links den auf dem Rasen stehenden Mannschaften sowie dem Publikum zu. Nach knapp 100 Metern geht es in der Kurve rechts eine lange Rampe zum nördlichen Ende des Stadions hinauf. Evans gerät aufgrund der Steigung zunehmend aus der Puste.

Am Ende übergibt sie das Feuer der Fackel an die Boxlegende Muhammad Ali. Dieser ist wie aus dem Nichts auf der Bühne erschienen. Er trägt einen weißen Anzug und wird sofort vom fanatischen Publikum erkannt. Die fahnenschwenkenden 85.000 Zuschauer lassen den Beifall immer lauter werden.

Als die Musik einen Moment verstummt, glauben viele, sie nähmen „Ali-Ali"-Sprechchöre wahr. Ali, der als Cassius Clay im Ring 36 Jahre zuvor in Rom die Goldmedaille gewann, feiert ein öffentliches Comeback. Der von einer beginnenden Parkinson-Erkrankung bereits schwer gezeichnete, dreimalige Boxweltmeister nimmt die Fackel entgegen, während der linke Arm von großen zittrigen Schwingungen begleitet wird. Voller Stolz zeigt er dem Publikum das Feuer und versucht den linken Arm zwischendurch durch das Halten an der Fackel etwas zu beruhigen. Es gelingt mal mehr, mal weniger. Mit großer Kraftanstrengung legt Ali mit einem maskenhaften Gesichtsausdruck schließlich die Flamme an eine mechanische Fackel, die über einen Draht in Richtung einer 35-Meter hohen Schale zu fliegen scheint und dort das Feuer entzündet. „Ein sehr bewegender Moment", staunt Petersen, der sich gemeinsam mit Knorr nicht sattsehen kann. „Dass so ein großer Sportler sich der Welt noch einmal zeigt, ist mit Worten nur schwer zu beschreiben", ergänzt Petersen und nennt es eine perfekte Inszenierung. „Typisch amerikanisch, wie in einem Hollywoodfilm." So sei der Auftritt Alis irgendwie surreal gewesen. Mit dem Lied „The power of the dream", das Celine Dion, die vom Atlanta Symphonie Orchester und Centennial Chor begleitet wird, singt, lassen die Kieler Handballer die Eröffnungsfeier schließlich gemütlich ausklingen. Langsam gehen in den 76 Häusern im olympischen Dorf die Lichter aus. Bettruhe.

Handballer Petersen will es nach Platz zehn bei den Spielen von Barcelona mit seinem Team diesmal besser machen. Neben dem 27-Jährigen sind mit den Torhütern Andreas Thiel (TSV Bayer Dormagen) und Jan Holpert (SG Flensburg-Handewitt) sowie Volker Zerbe

(TBV Lemgo) nur noch vier Spieler aus dem Olympiaaufgebot von 1992 mit im Kader. Die Sterne aus dem einst so ruhmreichen Osten sind inzwischen nahezu verglüht. Mit Stefan Kretzschmar (SC Magdeburg) ist nur ein Spieler aus den neuen Bundesländern im DHB-Aufgebot vertreten. Weil Kretzschmar außerdem mit der Mentalität des seit drei Jahren amtierenden Bundestrainers Arno Ehret nicht mehr so gut zurecht kommt, er von Verletzungen geplagt wird, düst Christian Scheffler (THW Kiel) leistungsmäßig am Handball-Punk vorbei. Der THW, inzwischen dreimal in Folge deutscher Meister in der Handball-Bundesliga, bringt neben Rückraumspieler Knorr noch Scheffler und Außenangreifer Martin Schmidt ins 15er-Team von Ehret mit ein. Es sind noch fünf Tage bis zum ersten Spiel gegen Brasilien. Das Team soll sich zunächst akklimatisieren. Das dauert nach sportmedizinischen Gesichtspunkten aber etwa sechs Tage.

Im Dorf, das aus mehreren Erweiterungsbauten einer Universität besteht, wohnen die 465 deutschen Athleten in dem roten Neubau in einer blauen Zone. Sie werden alle streng von – geschätzt – über 500 Ordnungskräften in schusssicheren Westen bewacht. „Leider hatten wir keine Balkone wie in Barcelona, wo wir immer herrlich lange abends draußen waren und aufs Meer geschaut haben", sagt Petersen. „Aber wir sind ja nicht im Urlaub im Robinson Club." Sie bewohnen mit dem Hockeyteam, den Volleyballerinnen und Tischtennisspielern die gesamte fünfte Etage. Allen bleibt lediglich ein Blick durch geschlossene Fenster auf Mauern und Zäune mit ganz viel Stacheldraht. Zur Ablenkung spielen sie Gesellschaftsspiele, die das Kennenlernen fördern. Ein zuvor bestimmter Moderator nennt zum Beispiel den Namen eines Sportlers. Die Rätselfreunde erhalten Punkte, wenn sie Disziplin, größte Erfolge und möglicherweise sogar den Wohnort kennen. „Das war Stadt-Land-Fluss für Große", lacht Petersen. Viele Punkte lassen sich mit Christian Klees erzielen. Der Kleinkalibersportschütze aus Eutin in

Schleswig-Holstein gewinnt nach fünf Tagen die erste Goldmedaille fürs deutsche Team. Vergleichsweise hoch im Kurs stehen bei Insidern noch Judoka Udo Quellmalz (Ingolstadt), Ringer Thomas Zander (Wasseralfingen) oder Rad-Sprinter Jens Fiedler aus Dohna in Sachsen. Fechterin Anja Fichtel (Tauberbischofsheim), Marathonläuferin Uta Pippig (Leipzig) oder der aufstrebende Zehnkämpfer Frank Busemann (Recklinghausen) sowie Speerwerfer Raymond Hecht (Magdeburg) bringen nur Durchschnittswerte. „Unsere Etage ist immer sehr beliebt", schmunzelt Petersen. Unter ihnen wohnen die Gewichtheber, Judoka, Boxer, Ringer und Ruderer. Im dritten Stock sind die Leichtathleten zu Hause, darunter die Fechter, die Gymnastinnen und die Beachvolleyballer. Das Klischee einer wilden Love Parade möchte Petersen für das deutsche Haus nicht bestätigen. „Hier sind Sportler zu Hause. Viele bereiten sich auf ein einmaliges Ereignis vor", ergänzt der Nationalspieler. Daneben sehe man jedoch viele berühmte Leute, „die auch wir sonst nur im Fernsehen zu Gesicht bekommen haben."

Das olympische Dorf, das sogar mit den Ziffern 31190 eine eigene Postleitzahl besitzt, liegt nahe der Nord-Süd-Autobahn namens Interstate Highway I-85. „Es war trotzdem irgendwie ein steriles Örtchen", sagt Petersen. Auf dem Campus im Norden Atlantas wird das Gesöff von Hauptsponsor Coca Cola – gerne in der Variante light – während eines Spaziergangs um die hübsch hergerichteten Grünflächen konsumiert. Es heißt, der Konzern habe sich die Spiele weit mehr als 200 Millionen Dollar Kosten lassen. Für die meisten Sportler ist das Dorf ein Paradies. Alle stehen am gleichen roten Automaten an. Hier spielt es keine Rolle, welche Nationalität man besitzt, welches Essen verspeist wird. In der Kantine werden täglich 1,2 Millionen Mahlzeiten für kleine und große, schüchterne und selbstbewusste junge Menschen zubereitet. Sie alle sprechen zusammen ihre gemeinsame Sportsprache und streben nach Medaillen. Einige wollen allerdings nur dabei sein. Die meisten Aktiven wissen, dass die Politiker ihre individuellen Erfolge zur Rechtfertigung ihres Regimes benötigen. Außerdem ist der Service prima im Sperrgebiet, in das nur Athleten und ausgesuchte Betreuer hineingelassen werden. Friseur und Wäscherei, Bank und Kaufhaus, Billardsalon und Bowlingbahn haben die ausrichtenden Amerikaner für die Sportler hergerichtet. Das Entspannungsbad im Whirlpool gehört zum ganz normalen Dorfstandard. Die über 100 Masseure halten die Muskeln der Athleten geschmeidig. Kostenfrei. Die Gedanken sollen vom Wettkampf abgelenkt werden. Ablenkung, wie sie ein Carl Lewis (USA) oder Stabhochspringer Sergej Bubka (Ukraine) gar nicht wollen. Diese Superstars wohnen natürlich nicht beim Olympiavolk im Dorf. Basketball-Star Grant Hill (Detroit Pistons) lässt schlagzeilenträchtig wissen: „We are no village people." Sie haben sich einige Residenzen außerhalb vom olympischen Ring, dem Herzstück der Spiele, das eine Drei-Meilen-Zone rund um das Olympiastadion erfasst, gesucht. Gleiches gilt außerdem für Schwimmstar Franziska van Almsick, die vor vier Jahren noch in jede Kamera ein „Keep smiling" zaubert, nun aber durch ihre Gefolgschaft von der Öffentlichkeit abgeschirmt wird. Das Projekt Gold, das ihr am Ende zweimal Silber beschert, soll nicht gefährdet werden. Werbewirksam ist dagegen das Foto inmitten einer Rushhour während einer Autofahrt im Cabrio.

Der Deutsche Handball Bund zeigt sich zuvor ganz pfiffig und entdeckt für seine Eleven das Internet, damals ein noch unbekanntes System, welches das Abrufen von elektronischen Dokumenten möglich macht. Zeitungsverlage lässt das kalt, sie ignorieren das World Wide Web. Ein renommierter Chefredakteur hält das für eine Krankheit, die in „spätestens zwei Jahren von den Bildschirmen verschwunden ist". Beim DHB aber füllen alle Spieler einen persönlichen Steckbrief aus und sollen damit zum Anfassen nah sein.

Petersen lässt wissen, dass „Handball die schönste Sportart ist, die ich mir vorstellen kann". Dazu ist der Gewinn einer dreimaligen deutschen Meisterschaft „nur durch Teamgeist und einem harmonischen Zusammenspiel zwischen Trainer, Management und Mannschaft zu erreichen". Die Stimmung in der DHB-Auswahl ist nur ein Jahr nach dem vierten Platz bei der Weltmeisterschaft 1995 in Island ausbaufähig. Die gerade abgelaufene Europameisterschaft in Spanien verlangt von den Spielern die Verarbeitung einer herben Enttäuschung. Mit Platz acht und der verpassten Qualifikation zur Weltmeisterschaft haben sich die Handballer im heißen Andalusien die Finger verbrannt. „Das NOK fordert eine Medaille, der Rest ist egal", sieht Klaus-Dieter Petersen sich und die Nationalmannschaft bei jedem Turnier unter Druck. Bundestrainer Arno Ehret spielt das Spiel mit, fordert so etwas wie Zauber unter den Ringen und mindestens das Erreichen des Halbfinales. Es lastet schon vor dem ersten Anpfiff ganz viel Druck auf dem Ventil. Eine Stelle zum Entweichen gibt es nicht, als es zum Knall kommt. Kaum hat Arno Ehret seine Ziele formuliert, macht es Knack bei Vigindas Petkevičius. Der Litauer, der im September 1993 eingebürgert wurde, zieht sich einen Gelenkbruch am rechten Daumen nach einem Wurfversuch zu. „Das ist schon ziemlich herbe, die ganze Vorbereitung ist er unser Spielmacher und fällt dann plötzlich aus. Alle Spielzüge waren auf ihn abgestimmt", zeigt sich nicht nur Petersen frustriert. Das 30:24 im letzten Testspiel vor Atlanta gegen Weltmeister Schweden wird von vielen Tränen begleitet.
Für den 25-jährigen Spielmacher wird der gleichaltrige Markus Baur (SG Wallau-Massenheim) nachnominiert. Zusammen mit Daniel Stephan (TBV Lemgo) soll er nun in einer Art Jobsharing die Fäden in der Zentrale ziehen, während im linken Rückraum EM-Torschützenkönig Thomas Knorr, sowie Jan Fegter (SG Flensburg-Handewitt) und Karsten Kohlhaas (TSV Bayer Dormagen) für die

Tore von der Königsposition sorgen sollen. Einziger Vorteil von Markus Baur: Er kennt die Spielweise seines 33-jährigen Vereinskameraden Martin Schwalb sehr genau. „Martin hatte sein bestes Handballalter, ist durch die Bundesligastationen reich an Erfahrung und hatte natürlich ganz viel Selbstvertrauen. Er weiß mit Druck umzugehen und weil er schon Momente des Scheiterns miterlebt hatte", ist die Nominierung Schwalbs eine logische Konsequenz für Petersen. Der Bundesligatorschützenkönig (230 Treffer) hat zuvor die Planstelle von Jörg Kunze (TV Großwallstadt) im rechten Rückraum eingenommen und soll als Back-up von Volker Zerbe agieren. Linkshänder Jörg Kunze ist vor einigen Wochen im Nationalmannschaftstrainingslager mit Karsten Kohlhaas zusammengeprallt und fällt mit dem Bruch der rechten Hand aus. Etwas widerwillig reaktiviert Arno Ehret den Star.

Kreisläufer Klaus-Dieter Petersen steuert sechs Treffer zum Auftaktsieg gegen Brasilien bei.

Die Olympiapremiere läuft noch einigermaßen vielversprechend. Das 30:20 gegen Brasilien mit sechs Treffern von Klaus-Dieter Petersen machen Lust auf mehr. Dann der Schock. Während eines Rock-Konzerts von Jack Mack and the Heart Attack, einer US-amerikanischen Soul und R&B Band, kommen in der Nacht zum 27. Juli im Centennial-Park eine amerikanische Touristin und ein türkischer TV-Reporter bei einem Anschlag zu Tode. 111 Menschen werden zum Teil schwer verletzt. Der erst Jahre später gefasste Aktivist der Army of God, Eric Rudolph, sprengt durch drei verbundene Rohrbomben einen fünf Meter großen Krater in das Pflaster. Glück im Unglück haben Petersens Eltern Peter und Erika. Wie so oft begleiten sie ihren Sohn bei den Spielen als Fans und bekommen das Drama über die TV-Berichte mit. Sie sind zum Zeitpunkt des Anschlags im Hotel, jedoch nicht der unmittelbaren Gefahr und einer besonderen Angst ausgesetzt. „Das hat die Stimmung der Spiele ordentlich getrübt", erinnert sich Handballer Petersen, der sich selbst per Nachrichtensender über die Geschehnisse informiert. Nur rund 14 Stunden nach dem Unglück soll Deutschland wieder Handball spielen, so als sei nichts gewesen. Wie schon Vorgänger Avery Brundage bei den Olympischen Spielen von München 1972 – nach dem Angriff von palästinensischen Terroristen auf israelische Sportler – lässt der Präsident des Internationalen Olympischen Komitee (IOC), Juan Antonio Samaranch, in der Trauer und mit Trotz („The Games will go on") die Sommerspiele in Atlanta nicht abbrechen. In München wird ein Trauertag eingelegt, aktuell muss eine Schweigeminute reichen.

Die DHB-Auswahl verliert gegen Spanien 20:22, unterliegt zwei weitere Tage später auch noch dem Handball-Entwicklungsland Ägypten 22:24. „Wir waren einfach zu dumm", ärgert sich Kreisläufer Christian Schwarzer. Bundestrainer Arno Ehret droht schon vor den Spielen gegen Algerien und Frankreich Konsequenzen an.

„Einige bei uns müssen sich fragen, ob sie stressfest genug sind, ob sie die Lockerheit mitbringen, um Erfolg zu haben", äußert sich der Nationaltrainer ungewöhnlich deutlich. Sinnigerweise werden diese beiden Spiele gewonnen, aber über Gruppenplatz vier kommt die Nationalmannschaft nicht hinaus. Der 23:16-Sieg gegen die Schweiz im Spiel um Platz sieben ist ein schwacher Trost. „Wir mussten einfach anerkennen, dass die anderen besser sind", wirbt Petersen um Verständnis. Torhüter Andreas Thiel, der nach der Partie seine Nationalmannschaftslaufbahn beendet, sagt: „Nicht immer ist der Trainer an allem schuld." Bei der Analyse fällt allerdings auf, dass die deutschen Handballer immer noch zu kompliziert agieren und damit einen sehr störungsanfälligen Handball spielen. Martin Schwalb ist mit 23 Treffern bester Torschütze im Team. Und der wurde nachnominiert. „Bezeichnend", sagen Beobachter.

Mit 20 Gold-, 18 Silber- und 27 Bronzemedaillen belegt Deutschland Rang drei im Medaillenspiegel von Atlanta. Deutscher Shootingstar ist der Zehnkämpfer Frank Busemann nach seiner überraschenden Silbermedaille. Das Atlanta Journal nennt ihn dank seiner 8706 Punkte „The german phenomen", während Dan O'Brien (USA) 118 Zähler mehr erreicht und sich zum König der Leichtathleten krönt. Schon kurz vor dem Ende werden die Spiele im Deutschen Haus an der Piedmont Avenue von Atlanta, dem von Sponsoren gemieteten Treffpunkt des Olympiateams, analysiert. Zu Gambas und Lachs sind Journalisten, wahrscheinlich vorsichtshalber, nicht geladen. Fazit: Atlanta sind Spiele der Sponsoren, Athleten stehen zu oft in der zweiten Reihe oder in einer langen Schlange in der Mensa. So zeigen sich die Teilnehmer Lesothos (Südafrika) entsetzt über die Mengen des weggeworfenen Essens. Hinzu kommen Computerpannen, Chaos in Transport und Logistik. Das IOC, inzwischen wie ein Konzern agierend, hat Teile der Kritik vernommen. Einige seiner Mitglieder, die die Interessen der Aktiven vertreten sollen, suhlen sich in den Geschenken und fühlen sich wie ein bestellter Aufsichtsrat, der natürlich nicht in die Suppe krümelt, die ihn nährt. Das Gütesiegel, das Samaranch seit 1984 stets zum Ende der Olympischen Spiele (die besten aller Zeiten) spricht, fällt diesmal aus. Viele hätten die Spiele 100 Jahre nach ihrem Beginn zum Jubiläum lieber in Griechenland, dem Ursprungsort der Olympiabewegung, als in Atlanta gesehen. Das Gütesiegel der deutschen Handballer lautet: teilgenommen. Zu wenig. Der Stuhl des Bundestrainers wackelt. Mal wieder.

Kiel II (1996 bis 1999)

Klaus-Dieter Petersen muss wieder zum Training. Er fühlt sich nach der verdammt langen Saison 1995/96 mit der Europameisterschaft und den Olympischen Spielen allerdings wie ein klappriges Fahrrad. „Einmal angeschoben läuft es wieder", meint er lachend. Es hat sich eine Menge getan in der Zwischenzeit. Die Ausländerbeschränkung ist gefallen. Auf die Gerichtsentscheidung für Jean-Marc Bosman, in der die bestehenden Restriktionen für ausländische Spieler (in Deutschland darf nur ein Spieler einer fremden Nation pro Mannschaft eingesetzt werden) für unwirksam erklärt wird und außerdem Profisportler nach Ende ihres Vertrages ablösefrei wechseln dürfen, wissen alle Bundesligaclubs eine Antwort. Aufsteiger VfL Fredenbeck kann eine Startsieben mit Spielern, von denen keiner in Deutschland geboren ist, anbieten. Beim THW geht es vergleichsweise soft zu. Neben dem schwedischen Kapitän Magnus Wislander kommt dessen Landsmann Staffan Olsson (TV 08 Niederwürzbach) an die Förde. „Da unten gab es wohl keinen Friseur", frotzelt Petersen aufgrund der langen Haare des Schweden. Vielmehr ist er jedoch der kongeniale Partner Wislanders aus der Nationalmannschaft, die Silber bei Olympia gewannen. „Für mich und unser Rückraumspiel war das ein klarer Vorteil", weiß Petersen. Dazu wird Torhüter Goran Stojanović (Roter Stern Belgrad/Jugoslawien) unter Vertrag genommen, um Druck auf die bisherige Nummer 1 Michael Krieter zu machen. „Der Verein hat einfach auf die Marktsituation reagiert", sagt Petersen. Schließlich wollen die Kieler in absehbarer Zeit nicht nur national, sondern auch international Erfolge feiern. Das zweimalige Ausscheiden in der Champions League schmerzte immer noch", sagt Petersen und ergänzt: „Top 4 ist schön, aber wir wollen weiter oben stehen." Insgesamt spielen plötzlich 57 ausländische Stars, die ein Loblied nach dem anderen auf Bosman anstimmen, in der Bundesliga. Die Handball-Verantwortlichen jubeln in diesen Tagen ihre Liga zur „stärksten Europas" hoch. Ein Künstler wie der französische Handballweltmeister Jackson Richardson füllt in Großwallstadt die Halle quasi im Alleingang. Andere Experten fürchten eine Explosion der Gehälter, weil mittelmäßige Akteure zu hoch bezahlt werden könnten. „Das Bosman-Urteil veränderte den Arbeitsmarkt", gesteht Petersen.

Er selbst bereitet sich für die Zeit nach der Karriere weiter auf ein Leben abseits des Handballfeldes vor. Nach dem Studium von zwei Semestern Maschinenbau schwenkt Petersen um und bewirbt sich an der Techniker-Fachschule in Kiel. Das ist eine weitere Sprosse auf der Erfolgsleiter nach der Ausbildung zum Energieanlagenelektroniker und der auf dem zweiten Bildungsweg erworbenen Fachhochschulreife. Zwei Jahre mit Kernunterrichtszeit zwischen 8 und 15 Uhr verlangen ab Oktober 1996 vorerst den Verzicht auf die Nationalmannschaft und sogar das Vormittagstrainings in Kiel wird ein Opfer. Anstelle des Linienlaufens steht nun wieder Mess-, Steuerungs- und Regelungstechnik auf dem Stundenplan. „Ich gehe schließlich stramm auf die 30 zu", lacht der 27-Jährige, der wegen einer Überstreckung des Hüftgelenks zwischendrin sogar komplett mit dem Training pausieren muss.

Sportlich läuft die Saison mit einigen Höhen und Tiefen. Der Regelkreis aus Sieg und Niederlage wird aus Kieler Sicht in dieser Phase zu selten unterbrochen. Beim OSC 04 Rheinhausen, TBV Lemgo, TV 08 Niederwürzbach, VfL Gummersbach bleiben gleich viermal die Punkte liegen. Dazu gibt es ein Unentschieden bei der SG Wallau/Massenheim. „Unser Trainer nahm sogar öffentlich den Druck aus dem Kessel und hakt die Meisterschaft einfach ab", sagt Petersen. Sieben Punkte Rückstand auf den TBV Lemgo sind zum Ende der Hinrunde ein dickes Brett. Kiel legt den Fokus jetzt verstärkt auf die K.-o.-Spiele.

Der Versuch, erstmals den DHB-Pokal nach Kiel zu holen, schlägt fehl. Daniel Stephan und Mike Bezdicek werfen zusammen 15 Tore beim 23:20-Sieg der Ostwestfalen aus Lemgo gegen den THW. „Zu dumm, dass ich mir auch noch einen Finger gebrochen habe, aber irgendwie habe ich die Schmerzen wohl ausgeblendet", kommentiert Petersen anschließend.

Das letzte Eisen, das die Zebras in dieser Saison im Feuer haben, ist die Champions League. Doch wo soll jetzt gespielt werden? Der kroatische Landesmeister RK Badel Zagreb, der die halbe Nationalmannschaft stellt, fürchtet sich offenbar vor der Atmosphäre in der Ostseehalle („Zu Recht", meint Petersen) und verweigert eine zeitliche Verlegung über das geplante Wochenende am 15. und 16. März 1997 hinaus. „Wir bekamen mit, dass unser Manager Schwenker sogar die Möglichkeit prüfte, in Bremen zu spielen und sich nach Fan-Kontingenten für einen Sonderzug erkundigte", erzählt Petersen. Die Kieler Ostseehalle ist zum zweiten Mal bei einem Heimspiel blockiert. Bereits das Gruppenspiel gegen Roter Stern Belgrad muss in der Holstenhalle in Neumünster, einer 80.000-Einwohner-Stadt im Herzen von Schleswig-Holstein, gespielt werden. Die Fans, die in ihrer Stadt nur höherklassigen Frauenhandball sehen dürfen, freut's. Sie tragen den THW zu einem 27:17-Sieg. Nach dem Gruppensieg überstehen die Kieler das Viertelfinale, schalten dort die Weltklassemannschaft Caja Cantabria Santander nach einem 23:26 in Spanien daheim mit 24:19 aus. Jetzt aber ist auch die Holstenhalle für das erste Spiel gegen Zagreb belegt, die Alsterdorfer Sporthalle in Hamburg nur am Sonnabend, dem 15. März frei. Die Kroaten willigen schließlich in den Termin ein. Nicht ganz sauber ist die Aktion vor dem Anpfiff. RK kündigt an, Kiels Trainer Serdarušić nach der Saison verpflichten zu wollen. „Das war der zweite Versuch, schon die Nationalmannschaft hatte Noka zuvor bei Olympia übernehmen sollen", weiß Petersen.

In Hamburg sorgen die Handball-Anhänger für ein ausverkauftes Haus. 4464 – meist THW-Fans aus dem Norden – strömen in den Hamburger Stadtteil Winterhude und parken erst einmal rund um die Krochmannstraße alles zu, ehe sie ihr Bestes geben. Die Kieler holen schließlich in der Hansestadt nur ein 23:23. Dass sie ein 19:22 aufgeholt haben, ist nur ein kleiner moralischer Vorteil. Um jetzt in die beiden Finalspiele einzuziehen, muss beim Rückspiel in Zagreb entweder ein Unentschieden höher als mit 23 geworfenen Toren ausfallen, oder die Kieler müssen sogar gewinnen. Bis zur Pause läuft es im Sportpalast Zagrebs sehr gut. Allerdings wünschen Hooligans unter den 10.000 Zuschauern dem Serben Stojanović im THW-Tor den Tod. „Drohungen oder Begrifflichkeiten, die an Krieg erinnern, haben im Sport ganz sicher nichts verloren", mahnt Petersen zur Besonnenheit. Motiviert bis in die Haarspitzen liegt Kiel nach 30 Minuten mit 15:13 vorn. Nach dem Wiederbeginn kippt die Partie. „Ich bekomme eine Zeitstrafe, und RK zieht auf 18:16 weg. Das geht zu schnell", schimpft Petersen. Der THW unterliegt mit 23:25 und bleibt im März 1997 auf der Erkenntnis sitzen, dass im dritten Jahr in Folge der europäische Pokal an den Norddeutschen vorbeigereicht wird. In der Bundesliga landen die Zebras trotz 12:0-Punkten im Saisonendspurt auf Platz drei. Nach drei Meistertiteln gibt es erstmals in der Ära unter Trainer Serdarušić nichts zu feiern und für Zeremonienmeister Petersen keinen Grund, sich eine Verkleidung zu überlegen. Mit der Mannschaft geht es für sieben Tage auf Saisonabschlussfahrt nach Cala Ratjada auf die spanische Insel Mallorca. Petersen genießt die erste längere Pause seit einigen Jahren. Nur seine schwedischen Teamkameraden Magnus Wislander und Staffan Olsson spielen die Weltmeisterschaft in Japan, während Stojanović dort das Tor der Jugoslawen hütet. Die deutsche Nationalmannschaft hat sich einmal mehr nicht qualifiziert.

Der Urlaub vergeht schneller als gedacht. Petersen ist derweil in den Hafen der Ehe eingelaufen. Er heiratet in Kiel Janine Kröger, die Tochter von Ex-THW-Liga-Obmann Winfried Kröger, zum Flittern bleibt aber keine Zeit. Nach einem Tennis-Jux-Turnier steht das erste Training von Trainer Serdarušić auf dem Plan. Neu beim THW sind Nenad Peruničić (Elgorriaga Bidasoa Irun/Spanien) und Henning Siemens (HSV Düsseldorf). „Gerade Peruničić hat mich und die Fans mit seinen vielen Toren in den Spielen gegen uns immer mächtig geärgert. Da ist es doch besser, wenn er jetzt für uns spielt", lacht Petersen. Nachdem der Trainer von einem Angeltrip aus Alaska zurückgekehrt ist, lässt ihn Manager Schwenker nicht vom Haken. Der Vertrag wird vorzeitig bis zum 30. Juni 2000 verlängert. „Wir wollen zusammen noch den einen oder anderen Titel an die Förde holen", umschreibt Petersen die Ziele. Sogleich zieren schon beim Anblick auf den Trainingsplan Schweißperlen die Stirn. „Noka sagt, wir müssen für die Spiele im Drei-Tage-Rhythmus richtig fit sein", berichtet Petersen. Schließlich wird der Handball regeltechnisch um die schnelle Mitte erweitert. Dabei ist es ab sofort möglich, unmittelbar nach einem Gegentreffer einen schnell ausgeführten eigenen Anwurf folgen zu lassen. „Die Möglichkeit, das Spiel vor einem Anwurf zu beruhigen, fiel weg. Jetzt müssen wir schneller auf die Spezialistenwechsel reagieren. Gerade für mich, der oft lediglich Abwehr spielt, bedeutet das wohl viele zusätzliche Sprints", meint Petersen. Aber es sei klar, dass der THW wieder um den Titel mitspielen und international vorne dabei sein will. International heißt in dieser Serie 1997/98 die Teilnahme am EHF-Cup. „Da wollen wir uns mal nicht lumpen lassen und das Ding aus Flensburg abholen", scherzt Petersen vor Beginn. Der Landesrivale SG Flensburg-Handewitt hat die Trophäe im vergangenen Spieljahr gewonnen. Dabei gehen die Kieler an der Atlantikküste fast baden. Nach einem 35:23-Heimsieg gegen den FC Porto verliert der THW in Portugal mit 21:31. „Ich konnte mir nicht erklären, warum die Abwehr löchrig wie ein Schweizer Käse war", kommentiert Petersen. Die Blamage wird gerade noch einmal abgewendet. In der Bundesliga sind nach acht Spielen schon 15:1 Punkte erzielt. Die Kieler sind nun im Achtelfinale des EHF-Cups bei Sportegyesület Dunaferr in Ungarn gefordert. „Das war eine Mannschaft der Namenlosen", meint Petersen. Der THW unterliegt 23:24, kann das im Rückspiel, das wegen der belegten Ostseehalle wiederum in der Holstenhalle Neumünster gespielt wird, umbiegen. Nach 14 Minuten steht es 10:2, die Spielanteile können gleichmäßig verteilt werden. Kiel siegt 26:21 und muss in der Bundesliga zum Auswärtsspiel zur SG Wallau/Massenheim. „Mit Noka haben wir dort immer unentschieden gespielt", hofft Petersen mindestens wieder auf einen Punkt. Aber die Serie reißt. In der Walter-Köbel-Halle in Rüsselsheim führt der THW nur beim 1:0. „Wenn du so viele technische Fehler machst, kannst du nicht gewinnen", kommentiert Petersen die 23:27-Niederlage. Der Bissen bleibt den Fans allerdings drei Tage später im Hals stecken. Gegen den Aufsteiger HSG LTV/WSW Wuppertal, wegen seiner Norweger Stig Rasch und Sjur Tollefsen sowie der Isländer Geir Sveinsson, Dagur Sigurdsson und Olafur Stefansson plus dem Russen Dimitri Filippow eine Art Nord-Europa-Auswahl, heißt es nach 60 Minuten 28:31. „Manager Schwenker hat uns danach richtig auf den Pott gesetzt. ,Seht ihr, wie wenig Ahnung ihr vom Handball habt? Ihr sprecht immer nur von einem Durchmarsch!'", zitiert Petersen den Manager. Die Wucht der Worte haben Dampfhammerqualität. Der junge Vater Petersen lässt diese an sich abprallen, denn mit Tochter Marthe erblickt ein Sonnenschein das Licht der Welt. In der Bundesliga folgen bis Ende Januar 1998 elf Spiele ohne Niederlage. Im DHB-Pokal stehen die Kieler im Viertelfinale. Zu den Highlights gehören der Heimsieg gegen Vorjahresmeister TBV Lemgo (26:22) und der

Auswärtssieg beim TuS Nettelstedt. „Gegen Lemgo hat endlich einmal wieder unsere 6:0-Deckung richtig gut funktioniert", sagt Petersen, der sich auf den Zweikampf mit Nettelstedts Talant Dusjhebajew freut. Die Ostwestfalen haben vor der Saison diesen einen absoluten Topstar verpflichtet. Laut eigener Aussage will sich der gebürtige Kirgise in der stärksten Liga der Welt behaupten. Der Welthandballer soll 500.000 D-Mark im Jahr verdienen – netto. „Da möchte ich nicht drüber nachdenken", meint Petersen, der im September seinen Techniker-Abschluss macht. Er verrät lieber das Taktik-Konzept von Noka Serdarušić: „Lasst Dusjhebajew zehn oder zwölf Tore machen, aber wenn er eine Pause braucht, sind wir da". Dusjhebajew wirft elf Tore, der THW siegt in der Höhle des Löwen 33:29.

Plötzlich wird der THW vom Verletzungspech erfasst, Thomas Knorr (leider schon wieder) und Wolfgang Schwenke fallen aus, Peruničić schleppt sich mit Schulterproblemen durch, muss sich außerdem einer Kieferoperation unterziehen. „Ich habe mir eine schwere Schleimbeutelentzündung im Ellenbogen zugezogen", erinnert sich Petersen. Die 2:8 Punkte dokumentieren eine sportliche Krise. Der THW feiert seine Wiederauferstehung eine Woche vor Ostern mit dem Pokalsieg über den TV 08 Niederwürzbach, den er mit 30:15 in die Schranken weist. Der THW, der nach 19 Jahren erstmals wieder in ein Pokalfinale eingezogen ist, läutet gleich eine Riesenfeier ein. Zeremonienmeister Petersen denkt sich mit seinem Gefolge etwas ganz Nettes aus. Auf den weißen T-Shirts ist zu lesen: THW Kiel – Deutscher Pokalsieger 1998 und „Wir haben noch nicht ganz fertig …" Die Aussage ist für jeden verständlich verpackt. Kurz zuvor erklärte der damalige Bayern-Trainer Giovanni Trapattoni in einer legendären Pressekonferenz wütend und nicht ganz der deutschen Grammatik mächtig: „Ich habe fertig." Petersen ist stolz, dass die Anekdote griffig rübergekommen ist. „Siehst du, sagt Max (Wislander) zu mir, wir können doch Endspiele gewinnen". Schließlich ist der THW Kiel zuvor lange Jahre mehrmals zweiter Sieger im DHB-Pokal. Gefeiert wird im Velvet und im Nachtcafé in der Eggerstedtstraße – sehr beliebt in Kiel. Die Nacht ist kurz, einige Zebras lassen das Frühstück außerdem sausen und nehmen stattdessen das Mittagessen im Sophienhof gegenüber vom Kieler Hauptbahnhof ein. Zum Ende der Feierlichkeiten lädt Trainer Serdarušić seine Mannschaft ins kroatische Restaurant Rijeka ein. Der Pokalsieg soll nur eine wichtige Zwischenstation zur möglichen Meisterschaft sein. Zwar brauchen die Kieler im Kampf um den deutschen Titel noch Schützenhilfe, aber international wartet nach dem erfolgreichen Halbfinale gegen die Kroaten von RK Brodomerkur Split (29:26/28:23) der Landesrivale, Titelverteidiger SG Flensburg-Handewitt, in den beiden EHF-Cup-Endspielen. „Wir sind ein bisschen der Angstgegner der Flensburger, schließlich haben wir schon beide Spiele in der Bundesliga gewonnen", meint Petersen. Die Atmosphäre in der Fördehalle ist beim ersten internationalen Aufeinandertreffen beider Clubs sehr aufgeheizt. Flensburg führt vor seinen euphorischen Fans 11:6, dann fliegt Petersen mit der Roten Karte vom Feld. „Ich habe Christian (Hjermind) am Trikot gezogen, aber eine Zeitstrafe hätte gereicht", sagt der Sünder. Die Schiedsrichter werten das Foul beim Gegenstoß jedoch als Notbremse. Jetzt muss Thomas Knorr, der ab der kommenden Saison bei der SG spielen wird, an den Kreis. „Knorre hat der SG ganz schön die Suppe versalzen", lacht Petersen. Der Allrounder erzielt fünf Treffer. Für viel Gesprächsstoff sorgt Flensburgs Peter Leidreiter, der erst Peruničić mit einem Tiefschlag außer Gefecht setzt, anschließend Wolfgang Schwenke im Gesicht malträtiert. Der THW unterliegt nur 23:25 und hat die SG vier Tage später zum Rückspiel in Kiel zu Gast. Ein Kieler Handball-Feuerwerk lässt den THW nach 30 Minuten auf 16:9 davonziehen, nach dem Abpfiff steht ein 26:21-Erfolg auf der Anzeigetafel und es regnen schwarze und weiße Luftballons von der Hallendecke. „Unsere T-Shirts haben wir im Vergleich zum Pokalsieg ein wenig verfeinert", schmunzelt Petersen. Die Aufschrift hinten: THW Kiel, EHF-Pokalsieger 1998 und vorn steht: „Wir haben immer noch nicht fertig …"

In der Bundesliga braucht der THW noch drei Punkte aus drei Spielen, weil der TBV Lemgo zuvor gegen die SG Wallau/Massenheim und die HSG LTV/WSV Wuppertal gepatzt hat. Nach dem 27:24-Erfolg über den TuS Nettelstedt, zuvor City-Cup-Sieger, lassen die Zebras in der Ära Petersen Titel Nummer 7 folgen. Lange vor dem Abpfiff strecken die Zuschauer Papp-Meisterschalen in die Luft. Die Spielerfrauen empfangen ihre Helden in T-Shirts mit der Aufschrift „Fertig! Triple 98: Deutscher Meister, DHB-Pokalsieger, EHF-Pokalsieger". Rund eine Stunde vor Mitternacht steht das Team auf dem Rathausbalkon bei Oberbürgermeister Norbert Gansel. Das Outfit der Spieler diesmal „Men in Black". Die Handballer, meist von Natur aus groß gewachsen, präsentieren sich in schwarzen Anzügen. „Wir zeigen allen, dass wir irdisch sind", lacht Petersen und haut eine riesige Sektfontäne in die unten feiernde Fan-Gemeinde. Übrigens: Zuletzt gewann der TV Großwallstadt 1980 das Triple aus deutscher Meisterschaft, DHB-Pokal- und Europapokal der Landesmeister. Die Spieler feiern in der Forstbaumschule weiter und beginnen schon mal mit der Verabschiedung von Torhüter Michael Krieter und Thomas Knorr, die den THW nach Saisonende verlassen. Der THW Kiel liegt nach der abgeschlossenen Saison auf Platz 1 der ewigen Bundesligatabelle. „Den wollen wir nie mehr abgeben", frohlockt Petersen. Dieser Plan geht bis heute auf.

Klaus-Dieter Petersen hält den EHF-Cup in den Händen, den die Kieler mit Trainer Noka Serdarušić zweimal gewinnen.

Klaus-Dieter Petersen geht im Sommer 1998 in seine sechste Spielzeit beim THW. Er bringt den Sport und Beruf unter einen Hut. „Man muss sich eben organisieren können. Wir trainieren doch höchstens drei Stunden am Tag, da bleiben noch 21 Stunden für andere Dinge übrig", lacht die Nummer 9 der Kieler, die für die Prüfung auf der Techniker-Fachschule viele Bücher wälzt. Anstelle von Thomas Knorr kommt Andreas Rastner (Caja Cantabria Santander/Spanien) zum THW. Dazu wechseln Torhüter Axel Geerken (TV Großwallstadt) und der dänische Linksaußen Nikolaj Jacobsen (Bayer Dormagen) nach Kiel. „Niko wird von der halben Liga gejagt, er will aber bei uns in der Ostseehalle spielen. Astreiner Typ", freut sich Petersen. Außerdem schafft mit Nico Kibat wieder ein A-Jugendlicher den Sprung in den Profikader. Vor der ersten Trainingseinheit lassen es die Kieler gemütlich zu gehen. Mit 400 Fans sticht die Mannschaft mit der MS Langeland III von Kiel nach Bagenkop, zur Südspitze der Insel Langeland in Dänemark in die (Ost-) See. „Das Ding heißt bei uns Butterfahrt und ist bei den Tagestouristen ziemlich beliebt", kommentiert Petersen, denn es besteht schließlich die Möglichkeit, zollfrei einzukaufen. Wie immer präsentieren sich die Kieler zwischen Talkrunde und Buffet als Mannschaft zum Anfassen. R.SH-Moderator Carsten Köthe stellt das Team vor, ehe einen Tag später das erste Training im ländlich gelegenen Felde im Naturpark Westensee im Kreis Rendsburg-Eckernförde von Schleswig-Holstein anberaumt ist.

Das Trainingslager vor der Saison steigt erstmals in Obenstrohe nahe Varel im niedersächsischen Ostfriesland. Das Hotel Waldschlösschen und der Mühlenteich werden von jetzt an vielen Spielern ewig in Erinnerung bleiben. „Rastner stöhnt, dass er weder in Milbertshofen noch in Magdeburg, schon gar nicht in Santander, so eine Trainingsintensität erlebt habe", erzählt Petersen. Die Liga rückt vom Leistungsvermögen immer enger zusammen. Der THW tanzt inzwischen regelmäßig auf drei Hochzeiten. Für die 14 Spieler eine große Belastung. Die Saison beginnt mit einem Sieg im Supercup. „Eigentlich hätten wir gegen uns selbst spielen müssen", lacht Petersen. Doch der Meister und Pokalsieger trifft auf den Pokalzweiten TV Niederwürzbach, siegt 22:20. Im ersten Punktspiel nimmt der THW Revanche für die beiden Niederlagen in der vergangenen Spielzeit am umfirmierten HC Wuppertal. Mit 36:13 lassen die Zebras die Männer wie in der bekannten Redewendung über die Wupper gehen – bis dato der höchste Sieg für Kiel in der Bundesligageschichte. Richtig dramatisch wird es in Lemgo. Zu diesem Topspiel ist das Deusche Sport Fernsehen (DSF) wieder dabei. Zwei Sponsoren sichern die Übertragung, nachdem die Bundesligaclubs sich weigern, jeweils 35.000 D-Mark an Produktionskosten zu übernehmen. Neun Monate bleibt der Bildschirm in Sachen Handball schwarz. Nur 100.000 Zuschauer rechtfertigen allerdings die Maßnahme von DSF-Sportchef Rudi Brückner, der sich ohnehin lieber in der Fußball-Talkrunde „Doppelpass" zeigt.

Der THW, der seit dem 28. November 1987 nicht mehr in der Lipperlandhalle gewinnen konnte, siegt 21:20. Dabei hält Torhüter Goran Stojanović in der Schlusssekunde einen Siebenmeter von László Marosi. „Damit habe ich meinen Freund Zebu (Volker Zerbe) ein bisschen aufziehen können, schließlich hat Lemgo zuvor 32 Heimspiele nicht verloren", freut sich Petersen. Ohnehin sind diese Tage im September von schönen Ereignissen gekrönt. Petersen bekommt das Abschlusszeugnis der Techniker-Fachschule. Die Fächer Deutsch, Digitaltechnik und Datenverarbeitungstechnik werden mit der Note sehr gut bewertet. Insgesamt erzielt er im Abschluss einen Notenschnitt von 2,1. „Das Büffeln hat sich gelohnt", kommentiert der Absolvent.

Sportlich reißt der Erfolgsfaden auf einmal ab. Plötzlich hat niemand mehr Angst vorm THW, der auswärts nahezu regelmäßig eins auf die Mütze bekommt. „Ich weiß nicht, wie man so Meister werden soll", rätselt nicht nur Petersen. Besser läuft es in der Champions League. Der THW siegt gleich zu Beginn beim dänischen Meister GOG Gudme. „Zufrieden bin ich nicht, aber es geht aufwärts. Wir können ja nicht alles verlernt haben", kommentiert Petersen. Der Handball bekommt allmählich außerhalb der Sporthallen eine Bühne. Die THW-Asse Staffan Olsson, Nenad Peruničić, Andreas Rastner, Magnus Wislander, Klaus-Dieter Petersen, Michael Menzel und Martin Schmidt zeigen ihre muskulösen Körper. Nur mit einer Boxershorts aus der Björn-Borg-Kollektion darf ein Starfotograf aus Hamburg, Heiner Köpcke, die Kieler für die Zeitschrift Sport Bild ablichten. „Das war eine Gaudi, obwohl wir ziemlich ernst dreinschauen", meint Petersen.

Zusammen mit Manager Uwe Schwenker, Trainer Noka Serdarušić, Staffan Olsson, Magnus Wislander und Wolfgang Schwenke reist Petersen Anfang Dezember als Gast nach München. Dort wird die Sport-Gala der ARD „Die Ersten – Deutschlands Sportler 98" auf-

gezeichnet. „Muhammed Ali aus der unmittelbaren Nähe zu sehen, fesselt mich", gesteht Petersen. Der Boxer bekommt die Auszeichnung zum Sportler des Jahrhunderts. Zu ARD-Sportlern des Jahres werden der Rodler Georg (Schorsch) Hackl, Skirennläuferin Katja Seizinger und die Fußballer des 1. FC Kaiserslautern mit der Victoria-Statue gekürt. „Gegen einen Fußballclub wie Kaiserslautern kommst du als Handballmannschaft nicht an, zumal die als Aufsteiger aus der Zweiten Bundesliga gleich Deutscher Meister wurden", kommentiert Petersen. Viel kurioser und ärgerlicher ist der Ausflug nach Wolgograd vor dem Niklolaustag 1998. Der THW, der mit einer Tupolew der Fluggesellschaft Pulkovo Aviation Enterprise von Hamburg-Fuhlsbüttel abhebt, muss ohne Spieleinsatz aus Russland zurückkehren. Die rumänischen Schiedsrichter und die EHF-Kommision sitzen wegen der winterlichen Bedingungen in Moskau fest. „Das war ein echtes Hin und Her, wir sind dann zurückgeflogen, obwohl sich unser Start durch den Nebel reichlich verzögert und unsere Visa kurz vor dem Ablauf standen", erinnert sich Petersen, nennt es aber eine coole Tour. Die sogenannte Auswärts-Partie steigt schließlich in der Holstenhalle Neumünster. Mit sechs Siegen in sechs Spielen galoppieren die Zebras ins Viertelfinale und finden inzwischen sogar einen Namen für ihr Maskottchen, das aus der Werkstatt von Peter Röders, der außerdem Tabaluga und Bernd das Brot kreierte, stammt. Zur Auswahl stehen Max, Herbert und Hein Daddel. Hein Daddel, in Anlehnung an die noch lebende Legende Hein Dahlinger, bekommt den Zuschlag. „Eine gelungene Wahl. Das freut mich für ihn", meint Petersen. Kurz vor Weihnachten bietet der THW Petersen eine Vertragsverlängerung bis 2002 an. Er zögert nicht lange und setzt seine Unterschrift unter den Drei-Jahreskontrakt. „Einmal THW, immer THW", lacht er.
Derweil ist die Meisterschaft in weiter Ferne. Ein Spiel vor Saisonhalbzeit hat der THW vier Punkte Rückstand auf den TBV Lemgo,

drei auf die SG Flensburg-Handewitt. „Das lag daran, dass wir uns auswärts nicht immer schlau angestellt haben", meint Petersen. Das ändert sich beim Spiel in Gummersbach. Der THW, der den dortigen Torhüter Steinar Ege zur neuen Saison verpflichten wird, siegt 30:17. „Endlich macht die 3:2:1-Abwehr wieder richtig Spaß", freut sich Petersen. Mit dem Heimsieg gegen Lemgo beginnt eine unglaubliche Aufholjagd in der Bundesliga, die jedoch vom Viertelfinal-K.-O. gegen Portland San Antonio (21:24/27:26) etwas getrübt wird. „Manchmal war es besser, nur auf zwei Hochzeiten zu tanzen", versucht Petersen dem Aus etwas Gutes abzugewinnen. In der Folgezeit erreichen die Kieler wieder das Final Four, die DHB-Pokalendrunde in Hamburg. Dort werden der SC Magdeburg im Halbfinale (29:20) und der TBV Lemgo (28:19) im Endspiel deutlich bezwungen. Nach dem Spiel holen die Fans ein Plakat heraus: „Wir hatten auch diesmal noch nicht fertig". Ein Ansporn für Petersen und Co. „Plötzlich bekommst du die zweite Luft", meint er und läuft mit Olsson eine Ehrenrunde durch die Alsterdorfer Sporthalle. In den Händen halten sie das Schild mit der Aufschrift: THW Kiel – deutscher Pokalsieger 1998 und 1999. Der Siegeszug geht in der Bundesliga weiter. Jetzt wartet Flensburg in der Ostseehalle. Es läuft schon auf einen deutlichen Kieler Sieg hinaus. Aber Flensburg verkürzt den einstigen Sechs-Tore-Rückstand auf 18:19. Nenad Peruničić und Staffan Olsson treffen für den THW. „Dann bekam unser Trainer die Rote Karte, weil er zu laut reklamiert", erinnert sich Petersen. Aber die Gäste schlagen daraus kein Kapital, der THW siegt 24:19 und überholt die Flensburger in der Tabelle. Noch drei Spiele, zweimal ist der Trainer gesperrt. Bis zum letzten Spieltag geben beide Schleswig-Holsteiner keine Punkte mehr ab. Der THW führt mit 46:12 Punkten vor Flensburg (45:13), hat aber das schlechtere Torverhältnis (+155 zu +156). „Also gewinnen wir eben gegen Gummersbach", meint Petersen. Er hält zusammen mit dem Team bei einem 35:22 Wort, während Flensburg 26:26 bei der HSG Dutenhofen/Münchhausen spielt. Die THW-Handballer zeigen sich anschließend als Arbeiter und schlüpfen zur Feier des Tages in einen Blaumann mit Bauhelm. Auf der Latzhose steht vorderseitig „Wer zuletzt lacht" und rückseitig „ist ein Kieler". Petersen haut vor den Fans, die ihre Helden auf dem Rathausplatz lautstark feiern, einen Spruch raus: „Wir haben nicht gewusst, ob wir Meister werden, aber wir wussten schon vor der Saison, wer Zweiter wird." Eine Replik an den Landesrivalen SG Flensburg-Handewitt. Die Fans grölen, jubeln und versinken in Bierseligkeit. Die Sperrstunde in Kiel wird an diesem Tag aufgehoben.

Nationalmannschaft-Part II

Rückblick: Die Säge am Trainerstuhl von Arno Ehret ist aus der Ferne schon einige Zeit zu hören. Nahezu lautlos fällt die Späne auf den Boden. Die Aktion „ein neuer Bundestrainer muss her" läuft aus dem Hinterhalt. Wie so oft im Deutschen Handball Bund. Im Dezember 1996 haben die „Undergrounder" ihr Ziel erreicht. Arno Ehret fällt auf den Allerwertesten. Die Nationalmannschaft verpasst nach Platz 7 in Atlanta die Qualifikation zur Weltmeisterschaft 1997 in Japan. Ein Desaster. Mal wieder. Das Aushängeschild ist krachend von der Wand auf den Boden gefallen. Kaputt. Klaus-Dieter Petersen verfolgt das Geschehen aus dem heimischen Kiel. „Ich habe bekanntlich aus beruflichen Gründen nach den Olympischen Spielen von Atlanta eine Pause in der Nationalmannschaft eingelegt", sagt der Kreisläufer. Gerne hätte er geholfen, aber in dieser Phase geht es nicht. Jetzt besucht „Pitti" tagsüber die Techniker-Fachschule in Kiel, abends trainiert er im Club, der seit einigen Jahren national und international gefordert ist. Ein Tanz auf zwei bis drei Hochzeiten. Je nach Anforderung der Wettbewerbe. „Für die Nationalmannschaft ist augenblicklich einfach keine Zeit", gesteht Petersen. „Einigen Spielern fehlt das Herzblut", lässt der wortgewaltige Manager der SG Wallau-Massenheim, Bodo Ströhmann, in einem vernichtenden Urteil über die DHB-Auswahl wissen. Klaus-Dieter Petersen will und kann das nicht bestätigen. In der Ära Ehret vor zwei Jahren absolviert Petersen 29 Länderspiele in einem Jahr. Dazu kommen 30 Bundesligaspiele, zehn Champions-League-Einsätze und fünf DHB-Pokalspiele für den THW Kiel. Mangelnden Einsatz lässt er sich nicht vorwerfen. „Es gibt Nationen, die arbeiten ausschließlich mit Vollprofis. Bei uns gehen die Spieler neben dem Handball einer Beschäftigung als Arbeitnehmer beziehungsweise Selbstständige nach. Viele junge Spieler sind in der Ausbildung und studieren. Wir müssen uns eben für die Zeit nach dem Handball wappnen", kontert Petersen. Deutschland ist noch ein Land von Feierabend-Handballern.

Nach den Olympischen Spielen läuft die Phase, in der Ehret noch einmal um seinen Job als Bundestrainer kämpft. So wie in seiner Jugend als Mittelstürmer bei den Fußballern vom FSV Seelbach. Im Schwarzwald wird kein Spiel vor Einbruch der Dunkelheit oder dem Abpfiff des Schiedsrichters verloren gegeben. Erst ein Bänderriss im Sprunggelenk bringt Ehret auf ärztliches Anraten zum Handball. Jetzt, nach 99 Länderspielen als Trainer, ist einem der klügsten deutschen Spieler bereits Heiner Brandt als Co-Trainer an die Seite gestellt worden. Es reicht nicht. Deutschland wird ein 21:21 gegen die Slowakei zum Verhängnis. Gruppengegner Portugal leistet sich nur in der Qualifikation eine Niederlage gegen Deutschland. Die bundesdeutsche Auswahl hat hingegen drei Minuspunkte auf dem Konto, der direkt gewonnene Vergleich gegen Portugal hilft nicht. Jetzt, Ende 1996, fast 19 Jahre nach dem Titelgewinn bei der Weltmeisterschaft 1978 gehen die Auserwählten wieder einmal durch Brennnesseln. Das verursacht nicht nur bei den Fans Juckreiz. Nach 105 Länderspielen zwingt DHB-Präsident Bernd Steinhauser seinen Bundestrainer Ehret, den Staffelstab an Brand weiter zu reichen. Er darf sich fortan auf die Tätigkeit als Sportdirektor konzentrieren. Im Fachjargon heißt das, die Mechanismen der Branche greifen.

Dabei kam der gebürtige Baden-Württemberger Ehret dreieinhalb Jahre zuvor als Heilsbringer aus der Schweiz. Er, der Weltmeister von 1978, ist ein ausgebildeter Realschullehrer in den Fächern Sport und Mathematik. Vor Ehret liegt bei seinem Amtsantritt im Juni 1993 die Quadratur des Kreises. Mit unendlich vielen Schritten muss immer wieder ein Quadrat mit dem gleichen Flächenin-

halt innerhalb eines Kreises konstruiert werden. Es ist das Spiegel-
bild der Arbeit beim Deutschen Handball Bund. Soll heißen: Der
DHB braucht viele neue Impulse, um in der Zukunft einmal wieder
um Medaillen bei großen Turnieren mitspielen zu können. Ehrets
Freund Armin Emrich hat den früheren Linksaußen nach der Demission von Vorgänger Horst Bredemeier zunächst vertreten. Ehret
ist bis nach Ende der Weltmeisterschaft 1993 noch an den Schweizer Nationalverband gebunden. Die Eidgenossen lehnen eine vorzeitige Freigabe ab.

Nach Amtsantritt läuft's zunächst wie am Schnürchen. Ehret gewinnt die ersten neun Länderspiele seiner DHB-Trainerlaufbahn.
Das ist ein neuer Startrekord für Bundestrainer. Weder Otto Kaun-
dinya, Carl Schelenz, Fritz Fromm, Werner Vick, Horst Käsler,
Vlado Stenzel, Simon Schobel, Petre Ivănescu, Horst Bredemeier
noch Armin Emrich können auf eine solche Auftaktbilanz zurück-
blicken. In diese gute Startperformance fällt das 100. Spiel Petersens im Nationalmannschaftsdress. In Rischon LeZion, knapp zehn
Kilometer südlich von Tel Aviv, siegt die DHB-Auswahl 30:18-
Sieg gegen Israel. „Das hat richtig Spaß gemacht. Plötzlich waren
wir wieder wer", erinnert sich Petersen. Die Zuversicht im Land
wächst. Ehret, der zuvor den Handballzwerg Schweiz formt und
dort eine Euphoriewelle in Schwung bringt, muss doch auch den
schlafenden Riesen Deutschland aufwecken können und wieder auf
die Beine bekommen.

Eine Europameisterschaft bietet sich für Schlagzeilen bestens an.
Für die Nationalmannschaft wird im Blätterwald gerne einmal eine
Ecke frei geschlagen. Zumal es eine Premiere ist. Zwischen 1968
und 1989 wird noch in wechselnden Ländern in Turnierform ein
Sieger für Männer-Nationalmannschaften ermittelt. Der Vorläufer
der Europameisterschaft nennt sich Ostseepokal. Allerdings wird
oft der Eindruck von Freundschaftsturnieren erweckt. Bei der ers-

ten Auflage stehen sich die Mannschaften in Polen noch auf Rasenplätzen gegenüber. Gastgeber sind in wechselnden Folgen die Ostseeanrainer, daher der Name. Nach dem letzten Ostseepokalturnier beginnt 1994 die Zeit der richtigen Europameisterschaften. Gespielt wird das erste Turnier in Portugal – und zwar im Sommer, also nach Beendigung der nationalen Meisterschaften. „Wir kannten diesen Rhythmus durch die Olympischen Spiele oder die Turniere im Jahr zuvor", sagt Petersen. Zwölf Mannschaften haben sich für die Finalrunde qualifiziert. Ehret genießt als Weltmeister von 1978 und Schüler von Vlado Stenzel entsprechende Vorschusslorbeeren.

Mit diesem Team belegt Deutschland 1995 Platz 4 bei der WM (hinten von links): Christian Scheffler, Stefan Kretzschmar, Jan Fegter, Vigantas Petkevicius, Christian Schwarzer; Mitte: Co Trainer Michael Biegler, unbekannt, Wolfgang Schwenke, Mike Fuhrig, Daniel Stephan, Volker Zerbe; vorn von links: Physiotherapeut Klaus Bergmeier, Klaus Dieter Petersen, Torhüter Henning Fritz, Andreas Thiel und Jan Holpert, Holger Winselmann, Physiotherapeut Peter Gräschus, Bundestrainer Arno Ehret.

Schließlich hat er selbst 121 Länderspiele auf dem Buckel, dort 308 Tore geworfen. Das Team, in dem die Kieler Zebras Thomas Knorr und Klaus-Dieter Petersen feste Bestandteile sind, kommt nicht richtig in Schwung. Ein 25:19 gegen Rumänien steht als einziger Sieg auf dem Tableau. Im letzten Vorrundenspiel. Deutschland spielt lediglich um Platz neun, gewinnt dort gegen Slowenien 28:18. „Arno fordert uns Spieler auf, aus den Ergebnissen die richtigen Schlüsse zu ziehen", sagt Petersen und ergänzt: „Ich verstehe das Gezeter in der Öffentlichkeit nicht. Wir verlieren echt knapp, sind mit den Gegnern lange auf Augenhöhe. Unser Spiel ist doch besser geworden." Beim DHB windet sich Präsident Bernd Steinhauser im Mantel des Schweigens, lässt lediglich wissen, dieses Turnier sei nur eine Episode auf dem Weg zu den Olympischen Spielen. Erster offizieller Europameister werden die Schweden mit Kiels Magnus Wislander, die Russland 34:21 bezwingen.

Elf Monate später ist die Bremse scheinbar gelöst. In Island, im Land der Geysire und Vulkane, entdeckt Deutschland die Siegerquelle. Bei der Weltmeisterschaft 1995 werden alle Vorrundenspiele gewonnen. „Endlich ist mal Ruhe im Karton", freut sich Petersen. Nach fünf Siegen steht er mit seinem Team im Achtelfinale. Weißrussland wird in der Runde der letzten 16 Mannschaften mit einem 33:26-Sieg nach Hause geschickt. Die DHB-Auswahl zieht von Kópavogur nach Reykjavík um. „Das hört sich unheimlich weit an, aber wir brauchen nicht einmal das Quartier zu wechseln", erinnert sich Petersen und fügt an: „Angst hatten wir vor keinem Gegner mehr." Etwas mehr als acht Kilometer liegen zwischen den Sporthallen. Aber jetzt wartet der starke russische Bär auf die Ehret-Auswahl. Doch seine Mannschaft hat die Krallen ausgefahren und gewinnt gegen den amtierenden Weltmeister 20:17, steht im Halbfinale. Die Olympia-Qualifikation für Atlanta im kommenden Jahr 1996 ist längst in der Tasche, dafür hätte schon Platz sieben ausgereicht. Petersen und Co. haben nun die Kür vor sich. Während die Noten im künstlerischen Teil zufriedenstellend sind, reicht die Form im technischen Teil nicht aus. Gegen Frankreich lässt ein 20:22 im Halbfinale den Traum vom Endspiel platzen. Im kleinen Finale folgt noch ein 20:26 gegen Schweden. „Es ist ärgerlich, dass wir unser Spiel in der Finalrunde nicht durchboxen können", kommentiert Petersen und ergänzt: „Nach neun Spielen in 14 Tagen fühlst du dich manchmal wie eine ausgequetschte Zitrone – einfach leer." Aber in der Heimat gibt es viel Beifall. Es ist die beste Platzierung seit dem Titelgewinn 1978 in Dänemark. Die Spieler werden mit den Heroen wie Joachim Deckarm, Erhard Wunderlich (beide VfL Gummersbach), Kurt Klühspies (TV Großwallstadt) oder Kapitän Horst Spengler (TV Hüttenberg) von damals verglichen. Arno Ehret, ebenfalls einer von ihnen, prophezeit den Griff nach den Medaillen in Atlanta.

Zuvor geht es nach Spanien. Zur Europameisterschaft. Jetzt ist in jedem Jahr ein großes internationales Turnier. Im Olympiajahr sind es sogar zwei. „Ich spiele leidenschaftlich gern Handball, aber das konnte sich nur jemand ausgedacht haben, der über Freizeitturniere nicht hinausgekommen ist", flucht Petersen. Obwohl Knorr in Spanien mit 41 Treffern Torschützenkönig wird, kommt die DHB-Auswahl nicht über Platz acht hinaus. Den Titel holt sich Russland mit dem später eingebürgerten Kreisläufer Dmitri Torgowanow, dem Deutschlands Rückraumstar Martin Schwalb wegen dessen hölzernen Bewegungsablaufs den Namen Pino verpasst. In der Heimat gibt's für das Abschneiden natürlich wieder mächtig Medienschelte. „Das Tor ist für alle drei Mal zwei Meter groß. Da muss das Ding rein", schimpft Nationaltorwart Andreas Thiel. Die deutschen Akteure leisten sich im Angriff zu viele Fehlversuche. In der Rückzugsphase und im gebundenen Abwehrspiel kann das nicht ausgebügelt werden. Die vorher noch so kühlen Himmelsstürmer von Island verglühen unter der Sonne der spanischen Provinz Ciudad Real wie Sternschnuppen. Nur sechs Wochen bleiben im Anschluss, um das Team zu den Olympischen Spielen wieder aufzupolieren. Glanz kommt nicht in die deutsche Hütte, zumal Verletzungssorgen das Team durcheinanderwirbeln. Formschwäche vermeintlicher Leistungsträger kommen hinzu. Ein Spieler verschweigt sogar seine Knieprobleme, um nach Atlanta zu fahren. Jahre später macht Stefan Kretzschmar dies in seinem Buch öffentlich. Der Griff nach den Medaillen misslingt, weil die knappen Niederlagen gegen Spanien (20:22) und Ägypten (22:24) nicht mehr zu kompensieren sind. Plötzlich steht Arno Ehret wie bereits die ehemaligen Bundestrainer Simon Schobel, Petre Ivănescu und Horst Bredemeier in Erklärungsnot zwischen Anspruch und Wirklichkeit. Gleich bei zwei internationalen Turnieren hintereinander haben die deutschen Handballer die große Bühne nicht nutzen können. Er würde nicht an seinem Posten kleben, sagt Ehret, in Personalunion außerdem Sportdirektor und wird mit Häme und Kritik übergossen. Die „Undergrounder" formieren sich. Petersen ist in den dreieinhalb Jahren von Ehret 85 Mal berufen worden, beendet 53 Spiele als Sieger. „Arno hat unser Spiel schneller und variabler gemacht. Dazu hat er gute Strukturen in den Nachwuchsbereich eingebracht. Davon zehren wir noch heute", lässt der Kieler nichts auf Arno Ehret kommen. Als Heiner Brand ab Januar 1997 den höchsten Trainer-Job nun übernimmt, läutet gleich das Telefon bei Klaus-Dieter Petersen. Wann er wieder für Deutschland spielen kann, will Heiner Brand wissen. Klaus-Dieter Petersen muss seinen Meistertrainer aus Gummersbacher Zeiten vertrösten. „Vielleicht im Herbst, dann habe ich Bergfest auf der Techniker-Schule", lacht Klaus-Dieter Petersen.

Kiel III (1999 bis 2002)

Klaus-Dieter Petersen stellt früh gemeinsam mit Manager Uwe Schwenker die Weichen auf einen längeren Verbleib beim THW Kiel. Der 30-Jährige gehört im neuen Jahrtausend weiter den Kielern an, unterschreibt nach 1993 seinen dritten Kontrakt an der Förde. „Jetzt will ich die letzten Pokale und Meisterschaften im alten Jahrtausend gewinnen", sagt Petersen. Er ist nach zehn Titeln in nur sechs Jahren vor Beginn der Saison 1999/2000 längst noch nicht satt. „Wir wollen alles dafür geben, den internationalen Pott nach Kiel zu holen. Ein Endspielsieg gegen Barcelona ist unser großer Traum." Gemeint ist der Titel in der Champions League, der Königsklasse. Die Katalanen gewinnen in den vergangenen vier Jahren die Trophäe viermal in Folge. So oft wie kein anderer Verein zuvor. Der letzte deutsche Sieg liegt jetzt schon 16 Jahre zurück. Damals siegt der VfL Gummersbach.

So sieht das Rundendrehen der Kieler mit Klaus-Dieter Petersen in der Saisonvorbereitung aus.

Vor Petersen und Co liegt die härteste Zeit einer Saison, die Vorbereitungsphase. Nach einem Golfturnier in Hohwacht tritt der neue Kader erstmals zu einem Spiel bei der SG Bordesholm/Brügge an. Die Aktion läuft unter dem Motto „Spiel mal gegen den Meister" und wird von einigen langjährigen Sponsoren möglich gemacht. Vor rund 600 Zuschauern zeigen die Zebras gegen den schleswig-holsteinischen Bezirksligisten aus dem Kreis Rendsburg-Eckernförde, der vom ehemalige THW-Kreisläufer Horst Wiemann trainiert wird, einige tolle Kabinettstückchen. Petersen gelingen beim 34:15-Erfolg acht Tore, darunter ein vollendeter Kempa-Trick. „Wer hat gesagt, dass ich das nicht kann?", fragt Kiels Nummer 9 in die Runde. Der „Übeltäter" kann selbst beim gemeinsamen Abendbankett, es gibt Riesenschnitzel mit Bratkartoffeln und Champignons, in der Bordesholmer Gaststätte „Zur Kreuzung" nicht ausfindig gemacht werden. Ohnehin reden alle lieber über den ersten Auftritt des Norwegers Steinar Ege im THW-Tor und Rückraumspieler Stefan Lövgren, der nun mit Landsleuten Magnus Wislander und Staffan Olsson ein schwedisches Bermuda-Dreieck bildet. Das ist die Achse des amtierenden Weltmeisters. „Ich finde, viel mehr geht nicht", kommentiert Petersen. 19 Schweden sind unter den 115 Ausländern, die aus 20 Nationen kommen und ihre Brötchen in der sogenannten stärksten Liga der Welt verdienen.

Die augenblicklich stärkste Mannschaft der Liga ist Titelverteidiger THW Kiel. Die Zebras, die im MAX, einer Kieler Discothek, während einer Saisonstartparty von NDR-2-Moderator Volker Thormählen den Fans vorgestellt werden, bereiten sich in einem zehntägigen Trainingslager wieder in Obenstrohe nahe Varel vor. Der Morgenlauf mit zehn Runden à 1300 Metern um den Mühlenteich ist kein Vergnügen. Petersen bekommen die Laufeinheiten gut. Er kann sogar mit dem fast zwölf Jahre jüngeren Mitspieler Nico Kibat locker mithalten. Die Uhr stoppt für das Duo nach 58 Minuten. „Nico will ja schließlich zur Junioren-WM", lacht Petersen. Er hat sich mit dem Sieg das Privileg „Erster beim Frühstücksbuffet ohne Streit" erworben. Diejenigen, die denken, ein Trainingslager ist wie ein Workout oder Fitness-Urlaub mit All-inclusive-Bändchen, bei dem pro Tag die Farbe gewechselt wird, muss Petersen enttäuschen. Der von Trainer Serdarušić entworfene Tagesablauf sieht wie folgt aus:

- 6.45 Uhr: Wecken
- 7.00 Uhr: Morgenlauf um den Mühlenteich
- 8.15 Uhr: Frühstück
- 10.00 Uhr: 2 Stunden Training
- 12.45 Uhr: Mittagessen, Bettruhe bis 15.15 Uhr
- 15.30 Uhr: Kaffeetrinken
- 17.00 Uhr: 2 Stunden Training, danach Entspannungsbecken
- 20.00 Uhr: Abendessen
- 23.00 Uhr: Bettruhe

Nicht enden wollen dagegen die Verletzungssorgen. Erst muss Michael Menzel das Trainingslager wegen eines Knorpelschadens im Knie abbrechen, dann zieht sich Nikolaj Jacobsen eine Verletzung im Bauchnabelbereich zu, die operiert werden muss und einen längeren Ausfall mit sich bringt. „Das war echt bitter für uns, zumal der Kader nur 13 Spieler zählt", kommentiert Petersen. Manager Uwe Schwenker appelliert bei der vorausliegenden Belastung an die Eigenverantwortung der Spieler und fordert sie auf, ein professionelles Verhalten zu zeigen. Er will zusätzlich einen Linkshänder für den Rechten Rückraum und Rechtsaußen verpflichten. Der Transfermarkt bietet aktuell nicht die nötigen Optionen, nachdem sich der Wechsel von Mateo Garralda (FC Barcelona) zerschlagen hat. „Der hätte uns sicher gut zu Gesicht gestanden, vor allem weil er mit Trainer Valero Rivera im Clinch ist", weiß Petersen. Der 29-jährige Linkshänder wechselt zu Portland San Antonio innerhalb der spanischen Liga. Schwenker doktert weiter an einer Aufstockung des Kieler Kaders.

Quasi einer Operation am offenen Herzen steht der eigenen Ostseehalle bevor. Die stets ausverkaufte Spielstätte des THW soll ab Sommer 2000 um einen vierten Rang nach oben erweitert werden. Zwei Jahre sind für die Umbauarbeiten der ehemaligen Flugzeughalle geplant. 10.000 Zuschauer soll der Handballtempel dann fassen. Neben einer flügelartigen Dachkonstruktion wird um die Halle herum eine Glas-Stahl-Konstruktion errichtet. Innen ist ein riesiges Foyer vorgesehen. Der Eingangsbereich bekommt zwei große Treppen. Die Kosten für den Umbau werden zunächst auf 25 Millionen D-Mark beziffert. „Die Ostseehalle ist mein zweites Wohnzimmer. Wir haben eine tolle Atmosphäre mit fantastischen Fans. Ich freue mich darauf, vor einer noch größeren und immer wieder ausverkauften Kulisse spielen zu können", sagt Petersen. Es gilt als sicher, dass die zusätzlich auf den Markt kommenden Dauerkarten feste Abnehmer finden. Schon jetzt werden die Stammblätter oft nur innerhalb der Familie weiter gereicht. Falls ein Fan den THW einmal nicht mehr sehen kann oder will, verkauft er dieses Stück Papier oft mit großem Gewinn weiter. „Die Dauerkarte ist eben wie eine Aktie", kommentiert Petersen.

Die Bundesliga wird immer attraktiver. Zur neuen Spielzeit 1999/2000 wird das Oberhaus von 16 auf 18 Vereine aufgestockt. Der TV 08 Niederwürzbach, der Ex-Club von Lövgren und Olsson zieht sich aus der Beletage in den saarländischen Landesverband zurück. Aus dem sperrigen Vereinsnamen HSG Dutenhofen/Münchholzhausen, das ohnehin in kein Tabellenprogramm einer Zeitung passt, wird die HSG D/M Wetzlar. Außerdem kommen mit der HSG Nordhorn, TSV Bayer Dormagen, TV 08 Willstätt und TuS Schutterwald vier Aufsteiger hinzu. Elf der 18 Bundesliga-Trainer tippen auf eine erfolgreiche Titelverteidigung des THW. Fünf von ihnen, darunter Serdarušić, nennen die SG Flensburg-Handewitt als Meisterschaftsfavorit. „Das hat uns richtig heiß gemacht", erinnert sich Petersen. Das Durchschnittsalter der Zebras ist inzwischen 29 Jahre. „Wie war das noch mit dem Wein?", fragt Petersen und schiebt die Antwort hinterher: „Je älter, desto besser." Und trotz der Niederlage im Supercup (24:25 gegen den TBV Lemgo) läuft die Bundesligasaison prächtig an. Saisonübergreifend sind die Kieler in 24 Begegnungen (drei Unentschieden) ungeschlagen. Beim Duell mit TuSEM Essen zieht Torhüter Stefan Hecker den Stecker aus der Kieler Dauerstromschleife. Das 20:24 bedeutet die erste Niederlage ausgerechnet vor der heißen Phase mit Champions League und DHB-Pokal.

Die Champions League steht beim THW im Fokus. Die Qualifikation zur Gruppenphase bereitet den Zebras keine Mühe. In Kiel gibt es gegen Cankaya Ankara einen klaren 34:21-Sieg, das Rückspiel steigt in Bad Segeberg. Der THW kauft den Türken das Heimrecht ab, um sich die Reisekosten und -strapazen zu sparen. In der Stadt, in der sonst Winnetou mit seiner Silberbüchse um Recht und Ordnung kämpft, lassen sich die Zebras nicht vertreiben und jagen Ankara mit 31:20 aus der Kreissporthalle. Der THW gehört zum fünften Mal zu den Top-Teams in Europa und schafft in den sechs Gruppenspielen 9:3-Punkte. Erst bei Ademar Leon in Spanien gibt es zum Ende eine 25:29-Niederlage, was den Einzug als Gruppensieger in die Runde der letzten acht Mannschaften jedoch nicht gefährdet. „Die Dreifachbelastung kostete echt Körner", gibt Petersen zu. Die Monate November und Dezember sehen jeweils acht Spiele vor. Während der vielen Reisen kreuz und quer durch die Bundesrepublik und Europa hält das Spiel „Die Siedler von Catan" immer mehr Einzug in den Kieler Mannschaftskreis. Petersen hat seine Mitspieler angesteckt. „Natürlich nur, weil ich schwer zu schlagen war", lacht er. Bei diesem Strategiespiel erbauen die Spieler auf der fiktiven Insel Catan Siedlungen, nehmen über die Rohstoffe Geld ein und können weitere Straßen, neue Siedlungen und

Städte bauen. Dafür erhalten die Teilnehmer ebenso Siegpunkte wie für die längste Handelsstraße und größte Rittermacht. Gewinner ist, wer zuerst eine bestimmte Anzahl solcher Siegpunkte erreicht. Manche Spielereihen gehen über zehn Stunden, länger als eine Busfahrt.

Sagenhafte zwei Siegpunkte raubte der THW der SG Flensburg-Handewitt im Nordderby beim 26:22-Erfolg. „Das ist einfach geil", jubelt Petersen. Die SG hat zuvor in 23 Heimspielen immer gewonnen und nur einmal unentschieden gespielt. „Wir hätten bis Silvester spielen können und nicht gewonnen", zeigt sich Flensburgs Jan Eiberg Jørgensen frustriert.

Nach Silvester ist es vorbei mit der Einnahme von Geldern in Form von Punkten beim THW. Nach der vielerorts um ein Jahr zu früh gefeierten Jahrtausendwende (es gilt der gregorianische Kalender) verliert der THW am 2. Januar 2000 die Begegnung bei Verfolger SC Magdeburg – im letzten Bundesligaspiel vor der Europameisterschaft in Kroatien. „Eine Niederlage vor einer Pause ist immer ungünstig, aber wir haben genügend Spiele, um Flensburg wieder von Platz 1 zu holen", schmunzelt Petersen. Der Nordrivale hat in der Bundesliga fünf Punkte Vorsprung (32:4 gegenüber 27:9) und hätte diesen nach der Saisonfortsetzung nach der EM auf sieben Zähler ausbauen können. Schließlich verliert der THW beim krisengeschüttelten VfL Gummersbach, bei dem Ex-Nationaltrainer Arno Ehret kurz zuvor zurück getreten ist, weitere zwei Punkte. Aber auch Flensburg kann in Magdeburg nichts Zählbares mitnehmen. „Wir haben kaum Zeit, darüber nachzudenken", gibt Petersen zu. Es geht jetzt ans Eingemachte. Die Viertelfinals im DHB-Pokal und in der Champions League erlauben keine Schwächephasen mehr. Die Teams aus Kiel und Flensburg blicken sich wie die Boxer beim Wiegen in die Augen. Wer zuckt, hat verloren. Im deutschen Pokal ringen die Kieler sogar ohne Spielmacher Stefan Lövgren und Rechtsaußen Michael Menzel den SC Magdeburg mit 29:27 nieder. „Obwohl wir den Junior von Eisen-Harry nicht richtig in den Griff bekommen haben", resümiert Petersen. Michael Jahns, Sohn der DDR-Handball-Legende Harry Jahns, schenkt dem THW neun Buden ein. Besser ist nur Zaubermaus Nikolaj Jacobsen. Der Däne trifft zehnmal und verlängert seinen Vertrag an der Kieler Förde vorzeitig bis 2004. Nach Klaus-Dieter Petersen und Nikolaj Jacobsen halten Nenad Peruničić, Stefan Lövgren, Steinar Ege und Martin Schmidt dem THW die Treue. „Die Vertragsverlängerungen spiegeln das Konzept unseres Klubs wider", kommentiert Manager Uwe Schwenker, der zusätzlich hofft, dass die Spieler ihre mentalen Probleme nun überwunden haben.

Drei Tage später reist der THW zu einem weiteren Showdown nach Israel. In Rishon LeZion, der mit 200.000 Einwohnern viertgrößten Stadt des Landes, wartet mit Hapoel ein Champions-League-Herausforderer. „Ich habe dort schon mein 100. Länderspiel bestritten. Schade, dass nicht mehr Zeit zum Verweilen bleibt", sagt Petersen zur Stadt an der Mittelmeerküste. Als der THW am späten Sonnabendnachmittag im Februar 2000 mit einer 24:26-Niederlage heimfahren muss, sind alle bedient. Die russische Herkunft einiger Akteure, die offenbar nur pro forma mit einem israelischen Pass ausgestattet sind, macht sich bemerkbar. Davon profitiert der Linkshänder Idan Maymon, der elf Tore wirft. „Unser Trainer hat uns gewarnt, aber wenn es im Angriff nicht richtig läuft, sind wir in der Abwehr manchmal nicht konzentriert genug", sieht Petersen hier Zusammenhänge. Im Rückspiel biegt der THW das Resultat mit einem 26:22-Sieg um. Gespielt wird wieder in Hamburg in der Alsterdorfer Sporthalle, weil die Ostseehalle belegt ist. Ein Spiel, das nicht nur bei Petersen bis an die Schmerzgrenze geht. Nach einer vor Ort versorgten Augenbrauenverletzung ist er ein wichtiger Wegbereiter des Erfolges mit dem Gegenstoßtor zum 24:21. Plötzlich flutscht es auch in der Bundesliga wieder. Fünf Siege heben das Selbstvertrauen vor dem Halbfinal-Hinspiel in der Champions League gegen Badel Zagreb (Kroatien) spürbar an.

Die Kieler müssen wieder nach Hamburg ausweichen. In der Ostseehalle läuft die Tanzveranstaltung Riverdance. Die Zebras lassen es klackern und siegen mit 32:21. „Ich hätte Zagreb lieber in Kiel nass gemacht", lacht Petersen.

Fünf Tage hat der THW Zeit, sich auf das Rückspiel im Dom Sportava von Zagreb vorzubereiten. Bis 15 Minuten vor dem Ende ist alles im grünen Bereich. Dann kocht die Halle. Mit den ersten Feuerwerkskörpern explodiert Badel, das in den vergangenen drei Spielzeiten jeweils das Endspiel der Champions League erreicht hat. Aus dem 14:9 machen die Gastgeber ein 21:11. Es fliegen Feuerzeuge und Geldmünzen aufs Feld. Die Gastgeber holen den Rückstand aus dem Hinspiel 3:13 Minuten vor dem Ende bis auf ein Tor auf. „Ich kann mich nicht erinnern, jemals gegen eine Mannschaft gespielt zu haben, die mit einer derartigen Brutalität vorgegangen ist", zürnt Petersen, der sich über seinen Wechselfehler und die frühe Rote Karte nach drei Zeitstrafen ärgert. „Selten dämlich." Am Ende gewinnt Zagreb nur 22:13, beim THW knallen die Türen, doch wie schreibt Lothar Böttcher von den Kieler Nachrichten so zutreffend: „Abhaken, Schwamm drüber, nun freut euch endlich mal! Ihr steht im Finale!" Zagreb verpasst das Endspiel um zwei Tore. „Na und", meint Petersen und hüpft von einem Bein aufs andere: „Wir sind im Endspiel." Zum ersten Mal in der 77-jährigen Vereinsgeschichte.

Es bleibt keine Zeit zum Genießen. Die Spielzeit hat jetzt einen Höhepunkt nach dem anderen zu bieten. Plötzlich können die Zebras wieder aus eigener Kraft Deutscher Meister werden. „Unsere Schweden sind so abgezockt", lobt Petersen seine Mitspieler. In Zagreb erzielen Stefan Lövgren und Staffan Olsson die wichtigen

Tore 12 und 13 für Kiel, gegen Magdeburg sorgt Stefan Lövgren mit dem Treffer zum 21:17 für die Vorentscheidung beim 21:19-Heimsieg. „Dass an diesem Abend Flensburg in Großwallstadt verliert, passt perfekt", jubelt Petersen.

Während in der Bundesliga die Angst umgeht, der THW könne schon wieder, zum dritten Mal in Folge auf Platz 1 abschließen, haben sich die Kieler Akteure selbst auf ihr großes Ziel eingeschworen. „Wir schauen nur von Spiel zu Spiel", meint Petersen. Das heißt Pokal-Halbfinale gegen die SG Wallau-Massenheim. 60 Minuten reichen nicht, um einen Sieger zu finden. Die Kieler, bei denen Stefan Lövgren zwei Tage zuvor Vater von Sohn Linus wird, setzen sich in der Verlängerung durch und treffen nun im Finale auf die SG Flensburg-Handewitt, die sich locker gegen GWD Minden behauptet. Bundestrainer Heiner Brand hat vor dem Finalturnier schon prognostiziert: „Der THW profitiert von der Erfahrung seiner schwedischen Welt- und Europameister, die wissen, wie man wichtige Spiele entscheidet, selbst wenn sie nicht in bester Form sind."

„Dem Bundestrainer widerspreche ich nicht", lacht Petersen, der vor der Partie eine Infusion bekommt, um nach dem kräftezehrenden Spielemarathon überhaupt auflaufen zu können. Die Zebras holen alles aus sich heraus. Das Finale gewinnen sie in der Verlängerung 26:25 und verpassen der SG einen herben Dämpfer. „Weißt du", sagt Magnus Wislander zu Klaus-Dieter Petersen, „vielleicht schleicht sich bei Flensburg so ein Gedanke ein, dass sie auf Platz zwei programmiert sind." Kopfnicken bei Pitti. Der THW hat den Pokal-Hattrick geschafft. Erstmals in der Vereinshistorie. „Und ich sage euch, die Meisterschaft ist nicht abgeschrieben", schickt Klaus-Dieter Petersen hinterher. „Aber am meisten freut ich mich auf das Champions-League-Finale."

Die Kieler spielen zuerst in der heimischen Ostseehalle, in der 7250 Zuschauer von der 14-köpfigen Tanzgruppe Sambo-Drambo

heiß gemacht werden. Außerdem stimmt der von der Nationalmannschaft bekannte Nettelstedter Trompeter Martin Schiereck die
Fans ein. Der Lärm in der Halle ist ohrenbetäubend. Barcelona
scheint Hören und Sehen zu vergehen. Die Hausherren führen
zeitweilig mit sechs Toren Vorsprung und gewinnen am Ende mit
28:25. „Olé", freut sich Petersen. Seit einigen Tagen blendet er die
Schmerzen aus. Der 31 Jahre alte Nationalmannschafts-Kapitän hat
den Haarriss am Ringfinger der Wurfhand von Mannschaftsarzt Dr.
Detlev Brandecker versorgen lassen. „Wenn ich einen Titel vor Augen habe, vergesse ich die Schmerzen." Bei einer solchen Verletzung sind drei Wochen Gipsverband dringend empfohlen. „Zu
einem Champions-League-Endspiel setze ich mich nicht auf die
Tribüne", stellt Petersen klar. Die Halle Palau Blaugrana – direkt
neben dem Stadion Camp Nou des Fußball-Clubs FC Barcelona –
ist ein Hexenkessel. „Das wird ungemütlich für Kiel, wenn unsere
Zuschauer Spektakel machen", sagt Barcelonas deutscher Kreisläufer Christian Schwarzer. Er spielt mit Inaki Urdangarin, dem
Schwiegersohn des spanischen Königs Juan Carlos zusammen. Der
Linkshänder nimmt trotz seiner Rolle als Herzog von Palma de
Mallorca keine Sonderrolle in der Mannschaft ein. Beim FC Barcelona ist die Mannschaft mit Top Stars wie Enric Masip, Patrik Ća-
var, Demetrio Lozano oder Torhüter David Barrufet gespickt.
Eine Reisegruppe aus 220 THW-Anhängern fliegt von Hamburg-
Fuhlsbüttel mit einer Chartermaschine nach Barcelona-El Prat, dazu kommen 34 wackere Fans, die den Komfort im offiziellen
Mannschaftsbus genießen. 26 Stunden dauert das Abenteuer. Weitere Kieler Handballfreunde fahren im eigenen PKW in die katalani-
sche Metropole, sodass 500 Schlachtenbummler aus Norddeutschland zusammenkommen. Die Gruppe wird von Schlagstock und
Helm tragenden Polizisten abgeschirmt. Spanische Einschüchte-
rungsversuche.

Zu Hause sitzen Tausende vor dem Fernsehgerät. Das dritte Programm des Norddeutschen Rundfunks N3 hat sich erbarmt, das Spiel live zu übertragen – allerdings nur in Schleswig-Holstein. Nach dem 10:6-Vorsprung (22.) sind Barcas Fans siegessicher. Sie skandieren immer wieder „Ganaremos", was bedeutet, „wir werden gewinnen." Das eigene Wort ist nicht zu verstehen. Die besondere Akustik in der Halle trägt ihren Teil dazu bei. Zur Halbzeit steht es 15:12. Die Partie wogt hin und her. Kiel führt nach dem 1:0 erstmals beim 18:17 (42.) wieder. Noch zehn Minuten. 23:23. Petersen kämpft wie ein Löwe. Die Zweikämpfe am Kreis gegen Schwarzer und Andrei Xepkin, der auf den Namen El Gigante hört, sind extrem hart, aber nie unfair. Eine Zeitstrafe gegen Wislander bringt die Kieler aus dem Gleichgewicht. In Überzahl treffen Xavier O'Callaghan und Xepkin. Anschließend sorgt der Linkshänder Antonio Carlos Ortega für das 26:23 und nennt es später „das wichtigste Tor meines Lebens". Der Rückstand aus dem Hinspiel ist ausgeglichen. Noch fünf Minuten. „Die slowenischen Schiedsrichter pfeifen jetzt abenteuerlich", erinnert sich Petersen. Auf dem Weg zum 25. Kieler Tor wird Stefan Lövgren wegen eines Stürmerfouls zurückgepfiffen. „Die Meinung haben die Schiedsrichter exklusiv", ärgert sich Petersen. 2,10-Meter-Riese Andrei Xepkin markiert 30 Sekunden vor dem Ende das 28:24. Der THW braucht jetzt unbedingt noch ein Tor. Trainer Serdarušić nimmt Torhüter Steinar Ege heraus, bringt Klaus-Dieter Petersen mit dem gelben Markierungsleibchen als siebten Feldspieler. Nenad Peruničić zieht viel zu früh aus dem Rückraum ab, Andrei Xepkin blockt den Ball, und Barcelona trifft ins leere Kieler Tor zum 29:24-Endstand. Bei den Kielern fließen Tränen, bei Barcelona der Schampus in der Kabine. Dazu dröhnen die Ohren: Campeones singen die Spanier. Das schmerzt richtig. Die Kieler Fans werden 45 Minuten festgehalten, unten auf der Spielfläche beginnen nach Spielende die Aufbauarbeiten für ein Basketball-Play-Off-Spiel. „Wir sind nicht schlechter. Aber nur einer kann gewinnen. Wir werden lange enttäuscht sein, aber das Leben geht weiter", zeigt sich Petersen frustriert. Einen Tag später werden die Spieler frenetisch im Flughafengebäude Kiel-Holtenau gefeiert. „Ihr seid Kämpfer und keine Roboter. Ihr könnt stolz auf eure Leistung sein. Lasst den Kopf nicht hängen", meint Kiels Oberbürgermeister Norbert Gansel.

Blitzschnell muss der Schalter wieder auf Bundesligabetrieb umgelegt werden. Bei den gemeinsamen Essen im THW-Vereinsheim am Krummbogen tanken die Zebras Kraft. Zwei Punkte liegen die Kieler fünf Spiele vor Saisonende hinter den Flensburgern, haben aber das um 14 Treffer bessere Torverhältnis. „Ich wette, dass wir

Klaus-Dieter Petersen ist nach dem K.o. in der Champions League das Lachen vergangen.

jedes Spiel gewinnen", kokettiert Petersen. Damit ist für ihn klar, das Spiel gegen Flensburg in der Ostseehalle wird gewonnen, und auf dem Rathausmarkt steigt wieder eine Double-Party. Die Kieler Fans begrüßen Flensburg mit einem Plakat „Willkommen beim Tabellenführer". Das ist Ansporn zu einem klaren 32:25-Sieg. „Wir haben jetzt dreimal gegen die SG gespielt und dreimal gewonnen", jubelt Petersen. Allerdings verliert er durch die Niederlage in Großwallstadt seine Wette. Er muss für das Team eine Getränke-runde in der Forstbaumschule zahlen. Schön ist, dass der THW um den Titel nicht mehr zittern muss. Der TBV Lemgo wird 22:18 be-zwungen und Flensburg hilft der Erfolg gegen den ThSV Eisenach nicht mehr. Die Kieler sind bei Punktgleichheit mit Flensburg um 17 Tore besser. Erstmals gewinnt ein Club in Deutschland dreimal in Folge das Double aus Meisterschaft und Pokal. Dabei stehen die Kieler nur an neun von 34 Spieltagen auf Platz 1 im Handball-Oberhaus.

Natürlich haben die THW-Spieler nach der Sause in der Halle ihren rund 15.000 Fans wieder eine Botschaft auf dem Rathausplatz mit-gebracht. „Der Lack ist noch nicht ab", steht auf den Maleranzü-gen, den alle Akteure jeweils überstreifen. Eine klare Anspielung auf das von sogenannten Experten vielfach für zu hoch empfunde-ne Durchschnittsalter der Spieler. „Aber wir wollen jedes Spiel gewinnen, selbst im Training", erklärt Petersen, der sich die Haare hellblond färbt, den Ehrgeiz. Petersen schmettert das umgedichtete Weihnachtslied „kling, Glöckchen, klingelingeling" mit der hand-ballspezifischen Fortsetzung: „Der THW ist Meister, Flensburg ist nur Zweiter, Magdeburg nur Dritter – oh, wie ist das bitter …" Mit der Feier in der Forstbaumschule wird der Saisonausklang fortge-setzt. Diesmal halten die Zebras nicht so lange durch. Außerdem ist eine Drei-Tage-Reise mit der Stena-Line nach Göteborg in Schwe-den geplant.

Schon Anfang Juli beginnt die Vorbereitung auf die Saison 2000/2001. Trainer Noka Serdarušić muss sich einer Knieoperation unterziehen und legt die Trainingspläne in die Hände des neuen Co-Trainers Michael Menzel, genannt Memel, und Schwenker. „Memel musste ja aufgrund einer Knieverletzung seine aktive Laufbahn beenden", sagt Petersen. Es wird im Fitnessstudio am Ostufer der Förde in Schönkirchen im Kreis Plön ebenso hart gearbeitet wie im Trainingslager in Berumerfehn, wohin es den THW erstmals verschlägt. In Ostfriesland findet Petersen zusammen mit Martin Schmidt Gelegenheit, eine Jugendgruppe zu trainieren, obwohl er schon dreimal am Tag beim THW schwitzt. Die Grundlage muss für eine ganze Saison aus 38 Punktspielen, möglicherweise sechs DHB-Pokal-Spielen und zwölf Champions-League-Spiele reichen. Dazu gibt es die Olympischen Spiele in Sydney und Anfang 2001 eine WM in Frankreich. Mit Jonas Ernelind und Morten Bjerre erhalten die Linkshänder Staffan Olsson und Martin Schmidt je einen Vertreter.

Nur zu Klaus-Dieter Petersen gibt es keinen Back-up. Weder in der Abwehr, noch im Angriff. Freie Gelenkkörperchen schwirren durch das linke Sprunggelenk und sorgen regelmäßig für Schwellungen und Schmerzen. „Wir haben alles versucht, das Gelenk konservativ zu behandeln. Nun muss es der Doc wieder heile machen", meint Klaus-Dieter Petersen und begibt sich unters Messer. Dr. Frank Pries entfernt mehrere Knorpelstücke im oberen Sprunggelenk, in dem zusätzlich die Schleimhaut entzündet ist. Der Arzt schlägt fünf Monate Pause vor. „Ich werde wieder angreifen", verspricht der 100-Kilogramm-Mann und arbeitet in der Sport-Reha Kiel-Wellingdorf bei den beiden Mannschaftsphysiotherapeuten Uwe Brandenburg und Hauke Mommsen am Comeback. Derweil kauft Schwenker GWD Minden Kreisläufer Mike Bezdicek ab, ein Kollege von Klaus-Dieter Petersen aus dem Nationalteam. Es reicht nur für 18 Einsätze, dann fliegt der 2,06 m-Hüne aus dem Kieler Team. Dazu Schwenker: „Wenn man einen faulen Apfel in der Obstschale hat, muss man ihn entfernen, sonst verdirbt der ganze Inhalt der Schale." So soll Mike Bezdicek, der mit Nenad Peruničić bei Auswärtsfahrten ein Zimmer teilt, den Wechsel des Rückraumspielers zum SC Magdeburg in der kommenden Saison vorangetrieben haben. Zu allem Überfluss wirft Bezdiceks Manager Schwenker vor, er habe Nenad Peruničić bei der Kieler Polizei in einer anonymen Anzeige des Fahrens ohne Fahrerlaubnis bezichtigt. In dieser Spielzeit schreibt der THW zwischen Februar und März nur selten sportliche Schlagzeilen. Von acht Spielen werden in der Bundesliga sechs verloren. Der THW rennt in der Meisterschaft hinterher, wird am Ende Fünfter und scheitert im Halbfinale der Champions League (28:24/28:33) abermals am FC Barcelona. Nach sechs Meisterschaften und einem dritten Platz ist der fünfte Platz in der Bundesliga für Klaus-Dieter Petersen sehr unbefriedigend. „Das haben wir uns alle anders vorgestellt. Aber wir haben einige Jahre in Folge auf allerhöchstem Niveau gespielt, insofern kam der Ausgang nicht überraschend." Die Bundesliga-Heimniederlagen gegen den TV Großwallstadt (23:25), die SG Wallau-Massenheim (26:28) und den TBV Lemgo (24:26) sind allen Zebras auf den Magen geschlagen. „Zieh' die sechs Minus-Punkte ab, und du weißt, wo wir gelandet wären", kommentiert Petersen. Auf Platz zwei! Vor der neuen Saison bleibt jetzt ein wenig Zeit, um mit der Tochter auf der Terrasse Fang den Hut zu spielen. „Bei Spielen aller Art kann ich einfach gut abschalten", schmunzelt Petersen.

Umbruch heißt das Zauberwort, das Uwe Schwenker schon während der vergangenen Saison dazu treibt, neues Personal an die Angel zu nehmen. Der Manager fischt vor der Serie 2001/2002 Piotr Przybecki (TuSEM Essen), Henning Fritz (SC Magdeburg) und

Johan Pettersson (HSG Nordhorn) aus dem Haifischbecken Bundesliga. Mit Sebastian Preiß kommt ein Kreisläufer-Talent als Petersen-Back-up, dazu gesellen sich vom FC Barcelona Mattias Andersson und Demetrio Lozano. „Und plötzlich sind vom ersten Meisterteam 1994 neben mir nur noch Scheffler, Wislander und Schmidt dabei", erinnert sich Petersen, „aber so ist das im Leistungssport." Axel Geerken (HSG D/M Wetzlar), Wolfgang Schwenke (Spielertrainer TSV Altenholz), Jonas Ernelind (SG VfL Bad Schwartau-Lübeck) und Nenad Peruničić (SC Magdeburg) sagen servus. Der THW Kiel gleicht einer Baustelle, so wie die Ostseehalle, die bis kurz vor der Wiedereröffnung riesige Gerüste umkleiden. Der aufgestockte vierte Rang zählt zehn Reihen, die an den Enden leicht nach innen gebogen sind. Daraus ergeben sich 2500 zusätzliche Sitzplätze, das Fassungsvermögen steigt auf rund 9700 Besucher. Das bisher völlig geschlossene Gebäude wird durch eine Glasfassade ersetzt. Der ehemalige Hangar lässt die Flugzeugsymbolik erkennen. 140 Bauarbeiter von knapp 30 Firmen arbeiten fast rund um die Uhr und sorgen in 15 Monaten Bauzeit für eine Runderneuerung. Die Baukosten der nun futuristisch anmutenden Halle steigten auf über 40 Millionen D-Mark.

Leider ist Torhüter Steinar Ege einige Monate wegen eines Knorpelschadens außer Gefecht. „Trotzdem greifen wir wieder an", sagt Klaus-Dieter Petersen und verspricht: „Wenn wir zur Einheit finden, werden wir eine sehr gute Rolle spielen." Das Trainingslager steigt wieder in Obenstrohe nahe Varel. Der THW tankt Kondition, vor allem für das Spiel der schnellen Mitte, das aufgrund der Anwurftoleranz von eineinhalb Metern den Handball noch attraktiver macht. Aber kurz vor dem Saisonstart verletzt sich Piotr Przybecki das Kreuzband im Knie und muss operiert werden. Außerdem fällt Nikolaj Jacobsen mit einer Stauchung im Knie nach dem ersten Spiel aus. Sorgenfalten beim THW.

Endlich können die Kräne aus der Ostseehalle gefahren werden und die Handballtore auf ihren Stammplatz zurückkehren. Der THW empfängt zur Premiere den SC Magdeburg und siegt vor 9730 Zuschauern 30:28. „Vielleicht hätte man den Hallenboden ebenfalls neu streichen sollen", findet Petersen ein Haar in der Umbausuppe. Im Vorspiel zieht eine THW-Traditionsmannschaft gegen die Weltmeistermannschaft von 1978 mit 27:31 den Kürzeren. „Ich wünsche mir solch' eine Halle an allen Bundesliga-Orten", schwärmt Bundestrainer Heiner Brand.

Viel Dramatik ist in der Köln-Arena im Spiel. 18.500 Zuschauer sorgen am 30. November 2001 für einen neuen Weltrekord, und doch ist es mucksmäuschenstill, als Johan Pettersson beim Gegenstoß mit Gummersbachs Schlussmann Jan Stankiewicz kollidiert. „Diese siebte Spielminute werde ich nicht vergessen, wir hatten wirklich Angst um das Leben von Johan", gesteht Petersen. Notärzte, Sanitäter und die Kieler Mannschaftsärzte Detlev Brandecker und Hauke Mommsen kümmern sich um den Rechtsaußen. Der Linkshänder verschluckt die Zunge, verliert drei Zähne, wird jedoch bei Bewusstsein aus der Halle getragen. Kiel siegt 29:25, aber das ist an diesem Tag Nebensache.

An Silvester zündet Manager Uwe Schwenker den ersten Böller schon vor Mitternacht und verlängert den Vertrag mit Klaus-Dieter Petersen um weitere zwei Jahre. „Petersen ist maßgeblich an den größten Erfolgen in der Geschichte des Clubs beteiligt, eine große Integrationsfigur und in der Außenwirkung unverzichtbar", begründet Uwe Schwenker und ergänzt: „Pitti ist für die Fans ein ganz wichtiges Stück THW." „Ich freue mich, dass wir uns so schnell geeinigt haben und ich anschließend in einer anderen Form dem THW erhalten bleibe", sagt Petersen.

Sportlich läuft es in der heißesten Saisonphase zunächst nicht wie gewohnt. Der THW scheitert im DHB-Pokal mit 28:34 am TBV

Lemgo und blamiert sich in der Bundesliga mit 26:27 bei Außenseiter Schwerin, bei denen der Ex-Kieler Michael „Pumpe" Krieter zwischen den Pfosten steht. „Pumpe darfst du nicht warmwerfen, dann bekommt er ganz schnell einen roten Kopf und ist kaum zu bezwingen", ärgert sich Klaus-Dieter Petersen. Es herrschen plötzlich andere Sitten bei den Zebras. Offenbar stimmt die Kieler Disziplin nicht mehr zu 100 Prozent. Zuspätkommer zahlen 25 Euro. Das Handyklingeln bei Besprechungen oder dem gemeinsamen Essen nimmt zu und wird ab 50 Euro aufwärts sanktioniert. „Wer nicht hören will, muss fühlen", zitiert Petersen einen Lieblingsspruch seiner Mutter.

Die kurze Leine von Trainer Noka Serdarušić zieht. Mit vier Punkten Rückstand auf Lemgo geht der THW in die letzten acht Saisonspiele der Ersten Liga. Offiziell hakt der Coach den Titel ab. Nicht aber den EHF-Cup, in dem die Kieler in einer Traumstunde gegen den FC Barcelona 36:29 gewinnen. Der Vorsprung wird im Rückspiel im Palau Blaugrana nahezu verspielt. Die Einheimischen führen nach dem 10:2 (15.) sogar 17:8 (33.). Die Kieler reißen sich zusammen, unterliegen nur 24:28 und beenden das Trauma gegen den spanischen Stier. Endlich! Klaus-Dieter Petersen klettert an der Seite von Stefan Lövgren mit dem Pokal hinauf zu den 150 THW-Fans und lässt die Anhänger am Erfolg teilhaben. „Das bin ich diesen Menschen einfach schuldig", sagt der Blondschopf.

Der Erfolg gibt Auftrieb für die letzten sechs Bundesligaspiele. Am vorletzten Spieltag kommt die HSG Nordhorn in die Ostseehalle. „Wir haben uns richtig heiß gemacht. Es ist das letzte Heimspiel von Wislander, wir wollen ihm die beiden Punkte schenken", verspricht Klaus-Dieter Petersen. Gesagt, getan. Nach dem 27:22 fährt der THW als Spitzenreiter zur SG Flensburg-Handewitt und gewinnt dort zum Abschied ihres Welthandballers Wislander 26:24. Klaus-Dieter Petersen hat sich diesmal vorab Gummistiefel eingepackt und jubiliert an der Mittellinie: „In Flensburg Meister zu werden, das ist das Größte, was ich in meinen neun THW-Jahren erlebt habe." Vor knapp 18.000 Fans kommt die Mannschaft – diesmal in Fischerhemden und Zebra-Kopftüchern auf dem Rathausplatz in Kiel an. Auf den Schildern steht: Meisterfisch und EHF-Cup-Fisch – Barca-Hai ins Netz gegangen. Zeremonienmeister Klaus-Dieter Petersen führt die Spieler-Polonaise nach vielen Gesangs- und Showeinlagen durch nahezu alle Kneipen vom Rathausmarkt zur Ostseehalle. Als die Uhrzeiger auf Mitternacht zulaufen, steht er mit der Meisterschale auf dem Parkett in der abgedunkelten Halle und schmettert das bekannte Liedgut. Ein gewissenhafter Ordner zeigt ihm die Rote Karte. „Das ist mir noch nie passiert, dass ich so vom Feld muss", wundert sich Petersen.

Sydney – Olympia 2000

„Wer sich so etwas ausdenkt, hat meistens nicht auf allerhöchstem Level Handball gespielt." Viele Spieler üben Kritik an den nationalen und internationalen Verbänden. Namentlich vorpreschen will niemand. Die eigene Existenz hängt zumeist mit dran. Nach der Europameisterschaft im Januar 2000 in Kroatien folgen ab Mitte Oktober die Olympischen Spiele in Sydney und gleich nach dem Jahreswechsel 2000/2001 die Weltmeisterschaft in Frankreich. Immer dazwischen Bundesliga, DHB-Pokal und Europapokaleinsätze. Normalerweise soll Klaus-Dieter Petersen eigentlich nach Abschluss der nationalen Saison und aller Double-Feierlichkeiten mit dem THW das Operationshemd tragen und keinesfalls ein Trikot. Er blendet einmal mehr die Schmerzen im rechten Ellenbogen aus und reist zum Einkleidetermin für das deutsche Olympiateam im August in die Sportschule Steinbach nach Baden-Baden. 51 Spiele (31 für den THW und 20 Länderspiele) hat der 31-Jährige in diesem Jahr schon auf der Uhr. Aber die drei Schweden Magnus Wislander, Staffan Olsson und Stefan Lövgren sowie Nenad Peruničić (Jugoslawien) haben ebenfalls keine Pause. Trotzdem sagt Petersen: „Realistisch ist Platz fünf, aber das Erreichen des Halbfinals ist sicher nicht unmöglich." Das Selbstvertrauen einer solchen Annahme hat sich Klaus-Dieter Petersen von Jörg Löhr einimpfen lassen. Der ehemalige Nationalspieler schafft eine Grenzsituation und lässt die Spieler barfuß über Kohlen laufen. „Sie sollen selbst erkennen, dass sie über sich hinauswachsen können, wenn sie es wollen", heißt es dazu von Löhr. Mit Respekt, aber ohne Angst im Gepäck macht sich der Kieler Jung also auf zu seinen dritten Olympischen Spielen.

Sportlich, etwas leger, soll es in Sydney, wo zum zweiten Mal nach 1956 olympische Ringe leuchten, zugehen. Der Trierer Designer Jo

Meurer entwirft zum vierten Mal die lässige Kleidung. Sie soll den deutschen Olympiateilnehmern in den Farben senfgelb, steingrau, schwarz und weiß in der Freizeit, beim Einmarsch sowie als sportliche Ausrüstung im Wettkampf und nicht zuletzt bei der Siegerehrung gut zu Gesicht stehen. Über 50 Teile im Wert von exakt 2502 D-Mark bekommen alle zugeteilt. Ein Haken hat die Sache: Während das NOK die Kleidung von Adidas bezieht, werden Deutschlands Handballer vom US-Giganten Nike ausgerüstet. „Da musstest du dir einen Zettel machen, was du wann und wo tragen duftest", schüttelt Petersen den Kopf. Im Prinzip ist es einfach. Im Olympischen Dorf sind die drei Streifen aus Herzogenaurach, der Heimat von Adidas, angesagt, in der Wettkampfstätte wird Nike getragen.

Anfang September sitzen die Handballer des DHB mit den meisten der 422 deutschen Athleten in einem Jumbo der Lufthansa. 21 Stunden später folgt die Landung auf dem Kingsford Smith International Airport, etwas südlich der Stadtmitte von Sydney im Bundesstaat New South Wales. Erschöpft und wegen des Zeitunterschiedes von neun Stunden müde und zum Teil ziemlich angefressen lassen sich Deutschlands Sportler vom Terminal 1 in das olympische Dorf an der Homebush Bay Site chauffieren. Eine Hälfte des Gepäcks ist bei der Zwischenlandung auf dem Flughafen von Singapur ziemlich nass geworden. „Eine Sauerei", schimpft Petersen, der sich aber schnell wieder beruhigt. Noch nie zuvor sind alle rund 15.000 Olympiasportler gemeinsam in einem Dorf untergebracht. 630 Wohnungen stehen dafür in zwei- bis dreistöckigen Häusern und Appartements bereit. Zwei Sportler müssen mit zwölf Quadratmetern auskommen, vier Personen teilen sich ein Badezimmer. „Luxus sieht anders aus, aber wir haben innerhalb des Stadtgebietes mit unserer Akkreditierung freie Fahrt in Bus und Bahn, können zudem die Fähren nutzen", will Petersen nicht klagen. Dafür ist der ganze Wohnkomplex umweltfreundlich. Auf den Dächern sind Solarzellen verbaut. „Hier wird das Sonnenlicht direkt in elektrische Energie umgewandelt. Durch die Halbleitertechnik wird der Strom durchgelassen oder gesperrt", weiß Energieanlagenelektroniker Petersen. Bemerkenswert ist außerdem das Recycling des Abwassers. Der Name „grüne Spiele" wird wie ein Klarsichthülle über Sydney 2000 darübergelegt. In früheren Jahren ist das Gelände ein Munitionsdepot und Schlachthof mit verwahrlosten Fabrikgebäuden gewesen. Aus rostigen Fässern soll das hochgiftige Dioxin im Erdreich versickert sein. Nach den Spielen wird das Dorf ein Stadtteil namens Newington.

Einen Steinwurf von der Harbour Bridge, der Verbindung zwischen Nord- und Südküste Sydneys, ankert die MS Deutschland, das berühmte Traumschiff aus dem Fernsehen. Das schwimmende Fünf-Sterne-Hotel ist vom NOK als exklusiver Treffpunkt neben dem deutschen Haus im Olympiapark Homebush Bay geplant. Wirtschaft und Sport lassen sich die Liegegebühr am Pier der Royal Australian Navy Base auf Garden Island eine halbe Million australische Dollar (rund 620.000 D-Mark) für die Zeit der Spiele kosten. Der Passagierdampfer der Peter-Deilmann-Reederei aus Neustadt in Schleswig-Holstein wird außerdem zum „Olympia-Studio" des ZDF umfunktioniert. Die Kameras stehen auf der 9. Ebene, dem Lido-Deck mit Café, Bar, Grill, Meerwasserpool, Poolbar und Terrasse. Die Sportstudio-Strategen Johannes B. Kerner, Michael Steinbrecher, Rudi Cerne und Wolf-Dieter Poschmann genießen das Rotlicht der Kameras. Ein öffentlich-rechtlicher Betriebsausflug der anderen Art.

Kalendarisch läuft seit dem 1. September die Frühlingszeit in Down Under. Die Wetterbedingungen sind mit Europa vergleichbar. In einem ersten Training werden die Handballer von Bundestrainer Brand wieder munter gemacht. Die Anreise zur Trainingshalle dauert per Shuttlebus 40 Minuten. „Wir haben uns dazu auf einem Sportplatz im Olympia-Dorf etwas bewegen können", erzählt Petersen. Der „Pavillon 2", in dem die DHB-Auswahl spielen soll, ist fußläufig in fünf Minuten zu erreichen. Kapitän Petersen schickt als Musterbeispiel an Ordnung und Disziplin an die Mitspieler folgende Formel hinterher: „Wenn wir nicht alles geben und uns nicht total dem Teamgeist unterwerfen, ist kein Blumentopf zu gewinnen." Schließlich droht den Handballern, die seit 1984 auf eine Olympia-Medaille warten, in der Popularitätsskala der Ballsportarten der Verlust des zweiten Platzes an den Basketball. „Das müssen wir verhindern. Am Fußball ist ohnehin nicht zu klingeln", weiß Petersen.

Neun Tage sind es bis zum ersten Spiel gegen Kuba. Petersen füttert seine erste eigene Homepage mit Bild- und Textbeiträgen. Der US-Konzern IBM schafft die Möglichkeit, E-Mails von Computer-Terminals zu versenden. Alle grinsen und schicken Fotos um die Welt. „Vor vier Jahren haben wir eine Postkarte nach der anderen geschrieben", steht Petersen der neuen Technik noch skeptisch gegenüber. Neben ihm versuchen sich auch die Mitspieler Mike Bezdicek, Florian Kehrmann, Sven Lakenmacher, Bernd Roos, Frank von Behren, Christian Schwarzer, Stefan Kretzschmar und Bogdan Wenta in dem Medium, das die Sportler von nun an gläsern macht. Es bleibt nicht verborgen, wie sich Markus Baur und Daniel Stephan auf der Hafenrundfahrt den Rettungsring überstreifen. Während Kapitän Petersen sich im Shop nicht für eine richtige Kopfbedeckung entscheiden kann, trägt Bernd Roos eine Mütze im Zebra-Outfit, die im Mannschaftskreis als stille Bewerbung für ein Engagement beim THW Kiel gehalten wird. „Das hätte Roosi mir gerne früher sagen können", meint Petersen. Schließlich ist THW-Manager Uwe Schwenker vor Ort. Später schwärmen alle vom tiefblauen Pazifik und der unglaublichen Lage des weitläufigen Hafenbeckens von Sydney, der eigentlich nur Port Jackson genannt wird. „Das war faszinierend anzuschauen", bestätigt Petersen die Eindrücke vieler Besucher. Von der Hafenbrücke ist das Wahrzeichen der Stadt, das Sydney Opera House mit seiner unverwechselbaren Dachkonstruktion zu sehen. Alles wird nur vom Sydney Tower übertroffen, der 305 Meter hoch über die Innenstadt ragt. „Es ist das zweithöchste Bauwerk der Südhalbkugel, lediglich der Sky Tower in Auckland von Neuseeland ist seit 1997 um 20 Meter höher", klärt Petersen wie ein Reiseführer auf. Die Skyline in der Abenddämmerung lässt es ihm immer noch eiskalt den Rücken herunterlaufen. „Insgesamt ist es dort wie in Kiel eben sehr maritim, ich habe sehr viele Menschen anderer Kontinente getroffen. Sydney ist multikulti."

Sportlich beginnen die Spiele für den DHB mit einem klaren 30:22-Sieg gegen Kuba. Gerade Stefan Kretzschmar, mit der Kubanerin Maria verheiratet, ist hochmotiviert und wirft sieben Tore. Allerdings wählen die Männer aus der Karibik die falsche Taktik und sind viel zu offensiv gegen die Brand-Auswahl. Nach dem darauf folgenden 24:24-Unentschieden gegen Südkorea spricht Petersen in der Mannschaftssitzung vor dem Jugoslawien-Spiel ein Machtwort. „Bei Olympia gibt es kein leichtes Spiel." Die Männer vom Balkan werden mit 28:22 klar bezwungen, und Petersens elektronisches Postfach quillt über. 110 E-Mails sind eingetroffen, nachdem Pitti seine Adresse veröffentlicht. „Macht nichts, ich beantworte alle", sagt er. In Spiel vier trifft Deutschland auf Russland, steht aber dank der anderen Resultate bereits im Viertelfinale. Entsprechend schwach ist der Start, Deutschland liegt 10:15 zurück, Trainer Heiner Brand hält in der Halbzeit eine Gardinenpredigt. Im Tor wird Jan Holpert zur entscheidenden Figur. „Endlich zeigt Jan in der Nationalmannschaft, was er in der Bundesliga häufiger zeigt", lobt Petersen. Deutschland siegt und bekommt von DHB-Präsident Ulrich Strombach einen Kasten Bier vor die Mannschaftsunterkunft gestellt. Die Kiste wird nicht leer. Sieben Flaschen bleiben übrig. „Früher galten wir gemeinsam mit den Wasserballern als Rabauken, jetzt haben wir eine disziplinierte Truppe", ist der Kapitän stolz. Nicht mit von der Partie ist Kretzschmar. Er ist offenbar geflashed von der hübschen Schwimmerin Franziska van Almsick, die ihn in der Mensa des olympischen Dorfes anspricht. „Na, wie ist es denn bei euch heute gelaufen?" Kretzsche verliebt sich, beginnt den Kontakt zu intensivieren und möchte die Frau nach den Spielen unbedingt an seiner Seite haben. Auch der Schweizer Tennisstar Roger Federer ist seit diesem einen Kuss von seiner Mirka mit der Liebe seines Lebens zusammen. „Das hat mich nicht interessiert", meint Petersen, „für mich zählt nur die Leistung auf dem Feld." Wahrscheinlich hat Trainer Heiner Brand den einen oder anderen Ausflug mitbekommen und den Magdeburger nach den schlaflosen Nächten erst einmal draußen gelassen.

Die Zeit zum Nachdenken reicht nicht. Deutschland verliert 21:22 gegen Ägypten, verspielt Platz 1 in der Vorrundengruppe und muss nun im Viertelfinale gegen Spanien spielen. Die Iberer sind ein Angstgegner. Rückraumspieler Frank von Behren versucht das auszublenden. „Wir haben keine Angst vor den Spaniern. Wenn wir hier was erreichen wollen, müssen wir sowieso jeden schlagen." Auf andere Gedanken kommt die Mannschaft, als sie sich am Abend zuvor vereinzelt mit den Leichtathletikwettbewerben ablenken kann. Sie erleben wie Cathy Freeman, die zum Volk der Aborigines – den Ureinwohnern Australiens – gehört, Gold gewinnt. In ihrem grünen Ganzkörperanzug inklusive Kapuze und mit rot- gelb-schwarzen Schuhen fliegt sie in 49,11 Sekunden über die Tartanbahn und versetzt nach einer 400-Meter langen Stadionrunde eine Nation in kollektiven Jubel. Für eine Jubelarie sorgt außerdem der erst 17-jährige australische Schwimmer Ian Thorpe. „Leider habe ich für solche Wettkämpfe keine Karten bekommen", bedauert Petersen.

Und fast hätte Deutschland ebenfalls kollektiv gejubelt. „Wir waren nicht viel schlechter als die Spanier", weiß Pitti. Es ist das Riesenpech, das am Ball klebt, und Deutschland in der Schlusssekunde um das 27. Tor bringt. Stefan Kretzschmar wird nach einem Überzahlangriff auf Linksaußen frei gespielt, springt weit in den orangemarkierten hinein Kreis hinein und hat nur noch Torhüter David Barrufet vor sich. Ein Aufsetzer soll jetzt zwischen den Beinen des Schlussmanns platziert werden. Das gelingt. Aber der Ball springt zu hoch auf und prallt an die Unterkante der Torlatte. Der Keeper schnappt sich die Kugel, die Spanier holen im Gegenzug noch einen Freiwurf heraus. Noch 14 Sekunden. Plötzlich ist Rafael Guijosa am Kreis frei. Der Welthandballer von 1999 bleibt eiskalt und trifft vier Sekunden vor dem Abpfiff zum 27:26-Sieg. „Kein Vorwurf an Kretzsche, aber wenn zwölf Kerle in der Kabine sitzen und heulen, zeigt sich, dass wir keine Maschinen sind", kommentiert Petersen. Im Braukeller vom olympischen Dorf wird der Frust heruntergespült. Das eigentliche Medaillenmotto, „es wird alles getrunken, was schäumt", wird vorgezogen. Trotzdem sind noch zwei Spiele zu absolvieren. Im ersten Platzierungsmatch revanchiert sich Deutschland gegen Ägypten mit 24:18 und erreicht trotz der Roten Karte gegen Stefan Kretzschmar das Spiel um Platz 5. Gegen Frankreich gelingt mit einem 25:22-Sieg ein versöhnlicher Turnierabschluss. „Wir sind als Nationalmannschaft absolut auf dem richtigen Weg", fasst Petersen trotz der verpassten Medaille zusammen. „Es ist eine der besten deutschen Mannschaften." Seine THW-Kollegen Magnus Wislander, Staffan Olsson und Stefan Lövgren ärgern sich ebenfalls. Die Schweden unterliegen Russland 26:28, müssen zum dritten Mal in Folge mit Silber bei Olympia vorliebnehmen.

Nach den acht Olympia-Einsätzen verbessert sich Petersen mit inzwischen 264 Länderspielen in der ewigen DHB-Bestenliste auf Platz drei. Der Kreisläufer verdrängt Torhüter Andreas Thiel (256).

Vor ihm sind jetzt nur noch die ehemaligen DDR-Handballer Wieland Schmidt (276) und Frank Michael Wahl (343).

Es bleibt Zeit, Olympia etwas zu genießen und abzuschalten. Deutschlands Handballer freunden sich mit der Feuerwehr des olympischen Dorfes an und vereinbaren ein Fußball-Match. „Die haben allerdings gedacht, dass wir Football spielen", lacht Petersen. Man einigt sich auf beide Sportarten. Standesgemäß wird das deutsche Team per Feuerwehrauto zum deutschen Haus zurückgefahren. „Plötzlich schauen einige ganz komisch aus der Wäsche, als nur die ‚doofen' Handballer in Uniform und mit Helm auf dem Kopf aussteigen", ergänzt Petersen.

Die Abschlussfeier genießt er persönlich im Stadioninnenraum. „Ich habe nie etwas Besseres erlebt", gesteht Petersen. Ein Düsenjet der australischen Luftwaffe donnert übers voll besetzte Stadion und entführt symbolisch das olympische Feuer. Weitsprung-Olympiasiegerin Heike Drechsler trägt die schwarz-rot-goldene Fahne ins Stadion. „Die Auftritte der verschiedenen Bands waren mega", sagt Petersen. Midnight Oil, Men at Work, Kylie Minogue machen Stimmung mit Rock- und Pop-Musik. Supermodel Elle McPherson und der als Crocodile Dundee bekannte Schauspieler Paul Hogan sorgen für emotionalen Glanz. Der scheidende IOC-Präsident Juan Antonio Samaranch, dessen Frau Maria Teresa Salisachs-Rowe kurz nach der Eröffnungsfeier aufgrund einer schweren Krankheit verstorben ist, erteilt den australischen Gastgebern das höchste Lob: „Das waren meine letzten Spiele als IOC-Präsident. Sie können nicht besser sein."

Die Rückkehr nach Deutschland endet in Frankfurt für Klaus-Dieter Petersen unangenehm. „Ein Gelenkkörper im Sprunggelenk hatte sich gelöst und verursachte richtige Schmerzen", gesteht Petersen. „Ich habe mein Bein nur auf den Kofferwagen legen können und bin gehumpelt." In Kiel stellt sich heraus: Petersen muss unters

Messer. Es bleibt etwas mehr Zeit für die Familie und zur Ablenkung das Spiel Moorhuhnjagd am PC. Allerdings beginnt er in der Rehaphase ein Fernstudium bei der Studiengemeinschaft Darmstadt zum Technischen Betriebswirt, das er 18 Monate später mit der Gesamtnote 1,7 abschließt.

Nationalmannschaft-Part III

Es läuft ganz gut auf der Techniker-Schule. Klaus-Dieter Petersen feiert nach der lauten Hochzeit im Sommer nun kurz vor Beginn des Herbstes 1997 ein stilles Bergfest und ist sicher, den Abschluss im kommenden Jahr erfolgreich hinzubekommen. Während Heiner Brand gleich nach seiner Amtsübernahme zum Telefonhörer greift und den Kieler Abwehrstrategen zur Rückkehr in die National-mannschaft bewegen möchte, ist es nun Petersen selbst, der Brand anruft. „Heiner, du kannst wieder auf mich zählen. Ich bin dabei, wenn du mich brauchst." Natürlich braucht er Pitti. Daran gibt es keinen Zweifel. Brand, der oft als Franz Beckenbauer des Hand-balls geadelt wird, ist seit Anfang 1997 Bundestrainer. Er soll das ständige Auf und Ab der Leistungsamplitude der DHB-Auswahl beenden. „In der Physik ist die immer wiederkehrende Bewegung die vielleicht wichtigste Bewegungsform überhaupt. Wir brauchen eine periodische Energieform", bringt Klaus-Dieter Petersen das Fachwissen aus seiner Ausbildung ein. DHB-Präsident Bernd Steinhauser mag bei der Wahl Heiner Brands an den Fußball ge-dacht haben. Dort wird Franz Beckenbauer 1974 als Spieler Welt-meister und gewinnt 16 Jahre später – inzwischen sechs Jahre Trai-ner – mit der Nationalmannschaft noch einmal den größten Titel. Weil sogar der Kaiser, wie Franz Beckenbauer überall genannt wird, zwei Anläufe benötigt, zielen die Planungen eines WM-Titels beim DHB in Richtung 2003 – der Weltmeisterschaft in Portugal. „Heiner und ich haben seit der gemeinsamen Zeit in Gummersbach ein tolles Verhältnis. Von ihm habe ich viel gelernt. Er hat mich schließlich zum Bundesligaspieler gemacht", zählt Klaus-Dieter Petersen die Faktoren auf.

Brand stärkt außerdem sofort dem überragenden Rückraumspieler Daniel Stephan (TBV Lemgo), der mit Vorgänger Arno Ehret Differenzen hat, den Rücken. Er baut außerdem den zum TV 08 Niederwürzbach gewechselten Markus Baur für die Spielmacherposition auf und holt den routinierten Linkshänder Martin Schwalb (SG Wallau-Massenheim) zurück. Nur Stefan Kretzschmar, der einige markige Sprüche nach der Ernennung Heiner Brands zum Bundestrainer in der Öffentlichkeit absondert, muss in Magdeburg noch etwas schmoren. Der Bundestrainer baut zunächst auf Sven Lakenmacher (TV Großwallstadt) als Linksaußen. Im Tor steht nach fast zweijähriger Pause Stefan Hecker (TuSEM Essen). „Heiner will keine Egoisten mehr in der Mannschaft haben", weiß Klaus-Dieter Petersen. Die Qualifikation zur Europameisterschaft in Südtirol 1998 darf nicht verspielt werden. 17 Länderspiele (13 Siege, 1 Unentschieden, 3 Niederlagen) hat Petersen ausgesetzt. Aber er spielt, als wäre er nicht weg gewesen. In seiner Heimat Hannover hilft der zentrale Abwehrspieler, das 23:23-Remis gegen Spanien zu sichern. Rafael Guijosa gleicht erst per Siebenmeter kurz vor dem Abpfiff aus. Die Iberer holen drei Punkte aus zwei Spielen. Aber gegen Norwegen (23:18) und die Slowakei (28:18) hat Deutschland keine Probleme, weil mit Bogdan Wenta (TuS Nettelstedt) ein wurfstarker Rückraumspieler nach seiner Einbürgerung jetzt für Deutschland spielt. Zuvor trägt der 35-Jährige 180-Mal das Trikot Polens. Es zeigt sich, das Alter für Heiner Brand keine Rolle spielt. Nur die Leistung zählt.

Bei der Europameisterschaft in Südtriol läuft es nach der 20:21-Auftaktniederlage gegen Schweden nahezu perfekt. Bei Petersens 200. Länderspiel werden die Franzosen mit einem deutlichen 30:23-Sieg aus der Halle geschickt. „Wir stehen im Halbfinale und haben uns für die Weltmeisterschaft in Ägypten qualifiziert", jubelt Petersen.

Wieder einmal wartet Spanien, das die Parallelgruppe ohne Niederlage beendet. Immer noch ist das Team zu stark, siegt klar mit

29:22. Deutschland schwört sich auf das Spiel um Platz drei ein. Gegen Russland gewinnt das Nationalteam 30:28 nach Verlängerung und nimmt die Bronzemedaille mit nach Hause. Das ist der größte Erfolg seit der Silbermedaille bei den Olympischen Spielen 1984 in Los Angeles. Rückraum-Star Daniel Stephan wird zum besten Spieler des Turniers gewählt. „Die Stimmung in der Kabine ist überragend", sagt Petersen und kommt zusammen mit den Mitspielern mit grellgelb-gefärbten Haaren hinaus. Bundestrainer Heiner Brand genießt lieber ein kühles Blondes in der Ecke.

Der Gummersbacher setzt die Aufbaupläne fort und gewinnt Anfang 1999 sogar den Weltcup in Schweden. Zehn Spiele ist Deutschland schon ungeschlagen. Der letzte Test – auf deutschem Boden – vor der Weltmeisterschaft in Ägypten beinhaltet ein Drama. Am 23. Mai 1999 spielt Deutschland ein Länderspiel gegen Dänemark in Neumünster. Daniel Stephan, im vergangenen Jahr zum Welthandballer gewählt, zieht sich in der fünften Spielminute bei einem Wurfversuch im Angriff einen Mittelhandbruch zu. „Das ist der Wahnsinn. Gerade seine Tore sind es, die die anderen Mannschaften verrückt machen", sagt Petersen. Dass die Partie in der Holstenhalle 25:24 gewonnen wird, ist nur eine Randnotiz. Wie verloren steht Daniel Stephan nach dem Spiel einsam auf dem Parkplatz hinter der Halle und schaut immer wieder auf seinen Gipsverband. Bis heute wird nie wieder ein Länderspiel nach Neumünster vergeben. Heiner Brand stärkt seiner Mannschaft anschließend im Mannschaftshotel in Lübeck den Rücken und weicht nicht vom Ziel Halbfinale ab. Er hat sich den früheren Bundestrainer Vlado Stenzel zum Vorbild genommen, der sagt: „Nur wer vor hohen Hürden steht, ist gewillt, hochzuspringen."

Schließlich sind die Brand-Buben seit dem vergangenen Jahr in der Phalanx der Weltelite zurück. Mehr als die Gegner fürchtet das Nationalteam jedoch Pharaos Rache. „Niko hat mir von den Verdauungsproblemen seiner Mannschaft erzählt, als er mit Dänemark dort war", weiß Petersen von THW-Mitspieler Nikolaj Jacobsen. Im Hotel El Salaam sind vor allem die Akteure zufrieden, die vor dem Frühstück einen Fernet-Branca trinken. Das Getränk, das aus Italien exportiert ist, wird dank seiner Kräutermischung von erfahrenen Besuchern Ägyptens zwingend empfohlen. „Andere trinken Orangensaft zum Frühstück, wir jetzt eben einen Magenbitter", schmunzelt Petersen. Alle, die sich daran halten, bleiben von Durchfallerkrankungen verschont.

Während der Spiele im Stadtteil Nasr City von Kairo marschiert Deutschland so zackig durch das Turnier, wie die zu den Spielen als Zuschauer abkommandierten Soldaten. Nur im Duell Deutschlands gegen Ägypten (23:18) sorgen die 30.000 Besucher für einen ohrenbetäubenden Lärm. „Tolle Atmosphäre", meint Petersen sarkastisch. Nach fünf Siegen in der Gruppenphase siegen die deutschen Männer problemlos 28:17 im Achtelfinale gegen Algerien. Der Kairo Stadium Indoor Hall Complex bietet ein gutes Hallenklima. Im Sommer herrschen tagsüber Temperaturen oft oberhalb der der 30-Grad-Marke. Klaus-Dieter Petersen hat an den freien Tagen etwas Luft und schaut sich mit Christian Ramota (TV Großwallstadt), der mit Jan Holpert (SG Flensburg-Handewitt) nach der Bänderverletzung von Henning Fritz (SC Magdeburg) das Torhütergespann bildet, die Pyramiden von Gizeh in Ägypten am westlichen Rand des Niltals an. „Das sind aus Kairo nur etwas mehr als 30 Kilometer, eine schöne Tour, noch dazu überqueren wir mit dem Bus den wohl berühmtesten Fluss der Welt. Wer das nicht gesehen hat, glaubt das nicht", äußert sich Petersen. Die drei Bauwerke sind zirka 2600 vor Christi von Menschenhand geschaffen. Ihr Bekanntheitsgrad zieht Jahr für Jahr tausende von Besuchern an. Aber nicht nur hier geht der Kapitän voran. In der mannschaftsinternen Wertung des Brettspiels Siedler von Catan liegt Petersen vor dem zum FC Barcelona wechselnden Christian Schwarzer und Kretzschmar ebenfalls klar auf Weltmeisterkurs. „Wer kann, der kann", lacht er.

Im Viertelfinale gegen Jugoslawien kann Deutschland mit einem Erfolg die vorzeitige Olympia-Qualifikation für Sydney 2000 perfekt machen. Es ist ein sehr spannendes Spiel. Die jugoslawische Equipe wirkt etwas unbeschwerter, nachdem die Nato-Angriffe auf das Land eingestellt sind. Deutschland liegt 21:22 zurück, 21 Sekunden vor dem Ende wird Mike Bezdicek (VfL Bad Schwartau) für Schlussmann Christian Ramota als zusätzlicher Feldspieler eingewechselt. Weil außerdem Nedeljko Jovanović eine Zeitstrafe absitzt, hat Deutschland zwei Spieler mehr auf dem Feld. Kiels Rechtsaußen Michael Menzel wird nicht vollständig freigespielt, ist wegen der ablaufenden Zeit allerdings zum Wurf gezwungen und trifft aus schlechtem Winkel nur den Pfosten. Ausgeschieden.

Es kommt in den Platzierungsspielen zu einer Neuauflage des Duells gegen Kuba. Deutschland zittert sich zu einem 23:22-Sieg und hat das Ticket für Sydney im zweiten Anlauf geschafft. Dagegen entthronen die Kieler Schweden im Finale Titelverteidiger Russland. Ihr Land ist zum vierten Mal Weltmeister. „Für uns war das noch ein weiter Weg. Wir haben dem Druck standgehalten. Mit Daniel wäre vielleicht noch mehr drin gewesen", kommentiert Klaus-Dieter Petersen, der außerdem einige Brettspiele für sich entscheidet. Im Spiel um Platz fünf gewinnen Pitti und Co gegen Frankreich 26:21 und fühlen sich zumindest der Weltspitze zugehörig. Nach einer langen Hallensaison im Vereinstrikot ist es nunmehr das letzte Turnier, das im Sommer durchgeführt wird.

Von nun an werden Welt- und Europameisterschaften jeweils nach den Jahreswechseln angesetzt.

Daniel Stephan ist zur Europameisterschaft in Kroatien im Januar 2000 zurück. Gerade hat er außerdem einen Bänderriss im Sprunggelenk aus dem September 1999 auskuriert, Anfang Januar werden die Drähte aus der gebrochenen Hand entfernt. „Daniel hat hart gearbeitet, ist unheimlich ehrgeizig, wird aber immer wieder von Verletzungen zurückgeworfen", weiß Klaus-Dieter Petersen. Noch immer gibt es sichtbar Probleme mit der im Vorjahr verletzten Wurfhand. Heiner Brand hat ein Füllhorn von Vertrauen über sein Team ausgeschüttet. Bis auf Michael Menzel (THW Kiel) und Stephan Krebietke (TuSEM Essen) werden die Spieler nominiert, die zuletzt bei der Weltmeisterschaft im vergangenen Sommer den deutschen Handball erfolgreich repräsentierten.

Eine hohe Meinung über Klaus-Dieter Petersen vertritt der ehemalige Nationaltorhüter Andreas Thiel. „Pitti ist der erfahrenste Spieler und auch eine wesentliche Integrationsfigur.". Der Kieler habe sich im Angriff deutlich verbessert, hinten sei er ohnehin einer der weltbesten Abwehrspieler. „Sein Blockverhalten ist hervorragend, Pitti steht wie eine Eiche." Als Ziel gibt der hochgelobte Hüne vor der Europameisterschaft Gruppenplatz drei nach der Vorrunde an. „Wir können insgesamt Platz fünf erreichen." Damit wäre die DHB-Auswahl direkt für die Weltmeisterschaft 2001 und die Europameisterschaft 2002 qualifiziert. Klaus-Dieter Petersen kann die Spielstärke der Nationen gut einschätzen. Viele Akteure sind aus den Vergleichen mit den Vereinen bekannt. Die Bundesliga ist in Kroatien einmal mehr stark vertreten. Die Erst- und Zweitligisten stellen sagenhafte 66 Spieler für neun Nationalmannschaften ab. Nur TuSEM Essen und der TuS Schutterwald verfügen über keine aktuellen Nationalspieler.

Aber Deutschland hat nicht das nötige Glück. Im ersten Spiel gegen die Ukraine (24:24) bleibt bereits ein Punkt liegen. Für Kroatien markiert der für den TuS Nettelstedt spielende Zoran Mikulić fünf Sekunden vor Abpfiff den Treffer zum 21:20-Sieg. Der Druck, dass die restlichen drei Spiele gewonnen werden müssen, ist zu groß. Nicht einmal die moralische Unterstützung der Kieler Vereinskollegen Martin Schmidt, Christian Scheffler, Michael Menzel und Axel Geerken, die im deutschen Fan-Block Platz nehmen, hilft. Frankreich, das fünf Legionäre im Kader hat, kann sich auf die Klasse des genialen Spielmachers Jackson Richardson (TV Großwallstadt, 8 Tore) sowie seiner Torhüter Christian Gaudin (SC Magdeburg) und Bruno Martini (HC Wuppertal) verlassen. Das Gespann wehrt fünf von sieben Strafwürfen ab. „Den Nächsten hätte ich geworfen", meint Petersen süffisant nach der deutlichen 19:25-Niederlage. „Ich habe eine 100-Prozent-Quote."

Es kommt noch schlimmer. Norwegen, das zuvor drei Spiele verliert, raubt Deutschland mit dem 22:22-Unentschieden einen Punkt. Diesmal ist es Klaus-Dieter Petersens Zimmerkollege Matthias Hahn, der den Ball verliert. „Hähnchen war nachher untröstlich", weiß Pitti. Dass im letzten Gruppenspiel erneut Rafael Guijosa den Deckel auf den Zwei-Tore-Sieg (27:25) macht, ist sehr ärgerlich. Mit dem vorletzten Gruppenplatz nach der Vorrunde spielen Petersen und Co nur um Platz 9, gewinnen dort ohne Daniel Stephan 19:17 gegen Dänemark. Der Lemgoer stellt fest, dass der Daumen ungünstig zur Mittelhand steht. Eine erneute Operation ist nicht zu vermeiden. Sechs Wochen Gips kommen hinzu. Den Titel holt sich wieder Schweden. „Da zeigt sich, was ein großer Wille wert ist", kommentiert Klaus-Dieter Petersen.

Nach den Olympischen Spielen, die im Oktober 2000 enden, ist die Weltmeisterschaft nur drei Monate später das nächste große Turnier für den DHB. Und wieder schlägt das Schicksal bei Daniel Stephan zu. Von 1993 bis 1999 hat Daniel Stephan keines von 182 Bundesligaspielen verpasst, aber in der Nationalmannschaft fällt er regelmäßig aus. Während der Spiele in Sydney zieht er sich gegen Jugoslawien (28:22) einen Kapselriss und eine Bänderdehnung im linken Sprunggelenk zu. Aufgrund einer Knochenabsplitterung am zweiten Daumengelenk – erlitten im Europacupspiel seines Vereins gegen RK Trimo Trebnje (Slowenien) – muss die bereits zweimal operierte Hand kurz vor der Weltmeisterschaft 2001 noch einmal chirurgisch bearbeitet werden. Aber nicht nur Stephan ist Zuschauer bei der WM – auch Klaus-Dieter Petersen ist nach seiner Sprunggelenkoperation nicht dabei. „Der Fuß bereitet keine Schmerzen mehr, aber jetzt habe ich nach dem Training plötzlich Muskelkater", witzelt er. Während Deutschland im Osten Frankreichs, in Besançon, spielt, absolviert ihr sportlich ruhig gestellter Kapitän ein viermonatiges Praktikum bei den Kieler Stadtwerken. Die Uhr des Leistungssportlers tickt unaufhörlich dem Laufbahnende entgegen. „Ich verlasse mich auf das Internet, den Fernseher und SMS-Meldungen", will Petersen trotzdem alle Informationen der WM aufsaugen. Die weiter neuformierte deutsche Mannschaft mit dem jungen Kapitän von Frank von Behren wird schließlich Achter.

Athen – Olympia 2004

Die Olympischen Spiele kehren heim. Nach Athen in Griechenland. 108 Jahre nach den ersten Spielen der Neuzeit. Für die Griechen selbst ist das Dorf Olympia, rund 270 km von Athen entfernt, die Geburtsstunde der Olympiabewegung. Im Nordwesten der Halbinsel Peloponnes finden 776 Jahre vor Christus die ersten Olympischen Spiele der Antike statt. Für Klaus-Dieter Petersen spielt die Antike heute keine tragende Rolle. Der 35-Jährige will unbedingt zum vierten Mal an Olympischen Spielen teilnehmen. Fast genau wie beim Sagenheld Achilles, der laut Mythologie nur an der Ferse verwundbar ist, hat Klaus-Dieter Petersen mit Fußproblemen zu kämpfen. Die entzündete Strecksehne des linken Fußhebermuskels lässt keine handballspezifische Belastung beim Abwehrchef der deutschen Nationalmannschaft zu. Er macht Krafttraining für den Oberkörper und Aquajogging. „Die Verletzung wirft mich zurück, aber auf dem Weg nach Athen noch lange nicht um", lacht der Blondschopf und bewegt sich außerhalb der Sporthalle nur in einem Spezialschuh. Wie schon bei der Europameisterschaft in Slowenien zu Jahresbgeinn ist er neben Volker Zerbe – bei den Olympischen Spielen in Barcelona, Atlanta und Sydney ebenfalls dabei – in der Innendeckung als weiße Wand, von der die Bälle der Gegner abprallen sollen, gefragt. „Pitti ist allein durch seine Erfahrung ein Leader", zittert Bundestrainer Heiner Brand um seinen Kapitän. Diesmal ist sein Team rund sechseinhalb Monate nach dem Gewinn der Europameisterschaft Favorit. Genau wie Petersen weiß der Bundestrainer, dass vor dem Preis viel Schweiß fließen muss. Seit seinem ersten Länderspiel am 21. November 1989 hat der Kieler Kreisläufer alle Höhen und Tiefen in der Nationalmannschaft durchlebt. Die C-Weltmeisterschaft in Finnland gehört genauso dazu wie die anschließenden 13 Versuche, bei Welt- und

Europameisterschaften sowie Olympischen Spielen einen ersten Platz zu ergattern. Manchmal ist Deutschland dabei sogar kläglich gescheitert.

Vier Tage vor Beginn der 28. Sommerspiele ist das deutsche Team auf dem internationalen Flughafen Eleftherios Venizelos in Athen gelandet. Von den normalen Passagieren getrennt folgt über Shuttlebusse der Transport ins olympische Dorf am Fuße des Berges Parnitha. Dort gibt es ein erstes Problem. Die vier Doppelzimmer pro Appartement sind nur mit dem nötigsten ausgestattet, eine Klimaanlage, ein Schrank und für jeden ein Bett. Mal wieder sind diese zu klein. Die Riesen Volker Zerbe (2,11 m) und Maik Dragunski (2,14 m) legen ihre Matratze neben das Gestell und schlafen auf dem Boden. Andere lassen eben die Füße seitwärts heraushängen Petersen, 1,98 m groß ist Seitenschläfer und sagt: „Wir sind zum Handball da, nicht zum Schlafen."

Trainer Heiner Brand wacht streng über seine Auswahl. Um 8 Uhr gibt's Frühstück in der zwei Fußballfelder großen Mensa am Haupteingang im Westen des Dorfes. Wegen der großen Hitze von zum Teil über 40 Grad Celsius nehmen alle den Bus. 90 Minuten später ist das erste Training (45 Minuten), später Behandlungszeit. Zwischen 13 und 14 Uhr wird zu Mittag gegessen. Danach dürfen die Cracks ein wenig ruhen – nur Petersen muss wieder zur Behandlung. Der Chef-Physiotherapeut Norbert Eder, den Mannschaftsarzt Dr. Berthold Hallmaier organisiert hat, kümmert sich intensiv um den Kieler. Kaffee und Kuchen stehen für 16 Uhr auf dem Tagesplan. Anschließend folgt noch ein leichtes Training und immer wieder viel Schlafen. Natürlich muss die Freizeit sinnvoll genutzt werden. Kartenspielen und Brettspiele waren gestern, heute werden mit vernetzten Computern imaginäre Gegner gejagt. Es gibt außerdem die Trainingsmöglichkeiten im Norden des Dorfes. In zwei Hallen sind Hunderte Fitnessgeräte aufgebaut. „Da ist für mich etwas dabei", schmunzelt Petersen. Im Outdoorbereich liegen eine 400-m-Bahn für die Leichtathleten sowie das notwendige Equipment für die Technikwettbewerbe. Außerdem lädt ein großer Swimmingpool mit acht 50-Meter-Bahnen) zum Verweilen ein, während die Tennisplätze Gelegenheit für ein kurzes Match bieten. „Aber selbst dazu ist es viel zu heiß", sagt Petersen. Abwechslung bietet noch ein Tagesausflug. Athen hat zwei neue U-Bahnlinien erhalten. Außerdem ist das Straßennetz völlig neu gestaltet. Die Stadt hat eine moderne Ringautobahn bekommen, dazu Zubringerstraßen mit Unterführungen. Eine ist immer für Otto Rehhagel reserviert, der Griechenland gerade zum Fußball-Europameister geformt hat. „In Kiel schlage ich vor, die B76 in Noka-Serdarušić-Damm umzubenennen", lacht Klaus-Dieter Petersen in diesem Sinne. Mit dieser Bundesstraße wird die Ostförde mit der Westförde in Kiel verbunden. Weil der THW immer in unterschiedlichen Hallen der Landeshauptstadt trainieren muss, käme das einer großen Erleichterung gleich.

Auf den Einmarsch zur Eröffnung der Spiele am Tag verzichtet die Auswahl. Sieben Stunden stehen und warten sind keine optimale Vorbereitung. Nach der Idee von Stefan Kretzschmar trägt Klaus-Dieter Petersen an der Spitze eine von Christian Ramota gebastelte provisorische Fahne und zieht mit der Mannschaft in eigener Zeremonie ins olympische Dorf ein. Die Worte („Willkommen zu Hause!") von Gianna Angelopoulos-Daskalaki, Präsidentin des Organisationskomitees, werden in kleinen Gruppen vor dem TV verfolgt. „Nun werdet zu Olympioniken, wo alles seinen Anfang nahm", fährt Angelopoulos-Daskalaki fort, ehe Nikolaos Kaklamanakis, Olympiasieger von 1996 im Windsurfen, das olympische Feuer entzündet. Auf den Fluren ist lautes Gebrüll aus den deutschen Zimmern zu vernehmen. „Für mich zählt nur die Goldmedaille", sagt Klaus-Dieter Petersen. Plötzlich tut der Fuß nicht mehr weh. Gastgeber Griechenland wartet als erster Gegner nachmittags um 16.30 Uhr. Mit dem Bus fahren die Spieler zur Halle, sind 90 Minuten vor dem Anpfiff im Olympia-Komplex Faliro angekommen. Vor dem Spiel werden die Tape-Verbände, hauptsächlich am Sprunggelenk, angelegt. Anschließend ist Aufwärmarbeit angesagt. Deutschland siegt mit der von Klaus-Dieter Petersen und Volker Zerbe organisierten Deckung 28:18. Nach dem Spiel wird geduscht, es folgt die Versorgung kleinerer Blessuren, das Abendessen ist für 21 Uhr geplant. Für die Spieler, die nicht schlafen können, besteht noch eine Behandlungsmöglichkeit von 1.30 bis 2 Uhr. Petersen schläft.

Ab jetzt wird alle zwei Tage gespielt. Ägypten (26:14) ist trotz der Roten Karte gegen Klaus-Dieter Petersen ebenso wenig ein Prüfstein wie Brasilien (34:21), die beide deutlich bezwungen werden. Deutschland steht vorzeitig im Viertelfinale, hat jedoch noch zwei Begegnungen zu spielen. „Jetzt geht das Turnier erst richtig los", sagt Torhüter Henning Fritz. Linksaußen Stefan Kretzschmar „war es völlig Bratwurst", wer in der Runde der letzten Acht der Gegner ist. Er muss seine Freundin, die Schwimmerin Franziska van Almsick trösten, die auf ihrer Paradestrecke über 200-Meter-Freistil im letzten olympischen Einzel-Rennen ihrer Karriere das angestrebte Gold als Fünfte deutlich verpasst. Die Handballer kassieren danach ihre erste Niederlage. Ungarn siegt 30:29, jetzt muss ein Sieg gegen Frankreich her, um Gruppensieger zu werden. Nach dem 22:27 gegen den WM-Dritten und EM-Sechsten ist Deutschland nur Gruppendritter. Jetzt wartet wieder einmal Spanien, der Angstgegner. „Wenn wir uns jetzt keine Gedanken über die letzten Leistungen machen würden, wären wir doof", sagt Klaus-Dieter Petersen. Frank von Behren (VfL Gummersbach) wird für den verletzten Pascal Hens (HSV Hamburg) nachnominiert. Mit zahlreichen Videositzungen stimmt Trainer Heiner Brand das Team auf die Partie gegen die Iberer ein.

Es sind 80 Minuten, die in die Handball-Geschichte eingehen. In der regulären Spielzeit wechselt die Führung zwischen beiden Teams immer wieder. Kurz vor dem Ende der regulären Spielzeit führt Deutschland nach einem Treffer von Volker Zerbe mit 27:26, aber Iker Romero erzwingt mit dem 27:27 die Verlängerung. Die Torhüter Henning Fritz und David Barrufet zeigen Weltklasseleistungen. Jede Mannschaft erzielt nur ein Tor. Noch einmal zehn Minuten Verlängerung. Spaniens Kreisläufer Rolando Uríos und der Linkshänder Ion Belaustegui werfen den Dauerrivalen mit 30:28 nach vorn. Es bleiben die letzten fünf Minuten der zweiten Halbzeit der zweiten Verlängerung. Christian Schwarzer gleicht mit seinen Treffern acht und neun noch einmal für die bundesdeutschen Farben aus. Jetzt muss ein Siebenmeterwerfen entscheiden. Deutschland beginnt:

Stefan Kretzschmar scheitert an David Barrufet – 30:30

Angel Hernandez scheitert an Henning Fritz – 30:30

Florian Kehrmann scheitert an David Barrufet – 30:30

Ion Belaustegui scheitert an Henning Fritz – 30:30

Torsten Jansen verwandelt gegen David Barrufet – 31:30

Juanín García scheitert an Henning Fritz – 31:30

Markus Baur scheitert an David Barrufet – 31:30

Xavier O'Callaghan wirft gegen Henning Fritz an den Pfosten – 31:30

Daniel Stephan verwandelt gegen David Barrufet – 32:30

Deutschlands Torhüter Henning Fritz hat tatsächlich keinen Siebenmeter ins Tor gelassen. „Das habe ich noch nie gesehen, aber Fritze ist ein unfassbarer Torhüter, wenn er in seinem Tunnel war", jubiliert Klaus-Dieter Petersen, der sechster deutscher Werfer gewesen wäre. Gerhard Müller, Reporter der Kieler Nachrichten schreibt, Daniel Stephan sei beim letzten Strafwurf um zehn vor zehn so zielsicher wie Gary Cooper im 1952 gedrehten Western-Klassiker „High Noon" gewesen. Nach drei Niederlagen gegen

Spanien bei Olympischen Spielen 1992, 1996 und 2000 ist das Trauma beendet. Nur für Kretzschmar nicht. Ihm klebt das Pech wie der Harz auf dem Handball. Nach dem verpatzten Wurf aus dem olympischen Viertelfinale von Sydney haftet ein weiterer Fehlwurf für immer am Linksaußen. Im Halbfinale muss Deutschland gegen Russland spielen. Diese haben mit Andrej Lawrow ebenfalls einen exzellenten Torhüter. „Er ist ein Phänomen", sagt Henning Fritz. Im olympischen Dorf wird der Russe vor dem Spiel beobachtet, wie er auf der Leichtathletik-Anlage seine Runden dreht. Dazu ist bekannt, dass Andrej Lawrow häufig Schach spielt, um seine Konzentrationsfähigkeit zu steigern. Außerdem angelt er gerne. Seit 1992 verdient der Sportlehrer seinen Lebensunterhalt, unterbrochen von Einsätzen bei Badel Zagreb und SKIF Krasnodar, überwiegend in der Bundesliga. Nach dem TV 08 Niederwürzbach spielt er für den TuS N-Lübbecke und zuletzt für vier Monate bei Absteiger SG Kronau-Östringen. Mit drei Nationen gewinnt er bei Olympia Gold. 1988 mit der UdSSR, 1992 mit der GUS und 2000 mit Russland. Jetzt sucht der 42-Jährige per Zeitungsinserat einen neuen Arbeitgeber. Russischer Nationaltorwart will Team, das die Erfahrung des qualifizierten Handballers gebrauchen kann, heißt es dort. Natürlich mit Handynummer. „In einem Halbfinale gibt es keinen Favoriten, das ist wie im Pokal, die Chancen stehen 50:50", erklärt Andrej Lawrow in perfektem Deutsch. Aber seine 21 Paraden reichen gegen Deutschland nicht. Der Grund ist die deutsche Abwehrwand, in der Jan-Olaf Immel nach den frühen Zeitstrafen gegen Volker Zerbe an der Seite Klaus-Dieter Petersens spielt. Das 9:10 zur Halbzeit ist für Deutschland ein Weckruf. Das Team gestattet in den zweiten 30 Minuten nur noch fünf Gegentreffer. Für Klaus-Dieter Petersen ist es nicht das perfekte Spiel. „Wir haben noch fünf Tore bekommen", meint er verschmitzt. Aber Deutschland wirft 21 Tore, hat jetzt die Silbermedaille sicher. Im Endspiel wartet nun Kroatien. Eine Partie, die das Attribut Europameister gegen Weltmeister trägt. Mit der Botschaft, „Männer, wir sind noch lange nicht fertig", fährt Klaus-Dieter Petersen heim ins olympische Dorf. Noch zweimal schlafen.

Im Finale sieht es gut aus. Die Goldmedaille ist greifbar nahe. Deutschland führt 15:12. Aber Klaus-Dieter Petersen muss in der 41. Minute verletzt aufgeben. Nach einem Zweikampf liegt er auf dem Rücken, verzieht das Gesicht. Die Wand ist zusammengebrochen. Ein ungewohntes Bild. Die Adduktoren streiken. Er hat stechende Schmerzen in der Innenseite des Oberschenkels. Die schmerzstillenden Spritzen, die Klaus-Dieter Petersen vor dem Spiel und in der Halbzeitpause bekommen hat, reichen nicht aus. „Ich kann

Bundestrainer Heiner Brand coacht das deutsche Team im Endspiel der Olympischen Sommerspiele 2004 in Athen. Klaus-Dieter Petersen (rechts) scheidet hier verletzt aus. Torsten Jansen (links) ist ebenfalls angespannt.

mich nicht mehr richtig bewegen", ärgert sich Klaus-Dieter Petersen. Jetzt muss Jan-Olaf Immel neben Volker Zerbe spielen. Bis zum 20:19 (47.) läuft es noch. Danach müssen die Heiner-Brand-Buben abreißen lassen. Am Ende siegt Kroatien vor 10.700 Zuschauern 26:24 in der Helliniko Indoor Arena. Wie versteinert erlebt Klaus-Dieter Petersen den Schlusspfiff seines 339. Länderspiel nur auf der Bank. Während die ersten deutschen Spieler den Kroaten gratulieren, legt Heiner Brand den Arm um seinen traurigen Abwehrchef. Klaus-Dieter Petersen ist untröstlich. „Ich bin nach Athen gekommen, um Gold zu holen. Jetzt bin ich nur noch tief enttäuscht."

Als die ersten Tränen getrocknet sind und die Spieler zur Siegerehrung schreiten, spürt jeder den besonderen Moment. Hier endet die Geschichte einer großen Mannschaft, die wie keine andere für Teamgeist und Zusammenhalt steht. Offiziell verkündet an diesem Abend kein Spieler seinen Rücktritt, aber Klaus-Dieter Petersen, Volker Zerbe, Christian Schwarzer und Stefan Kretzschmar sagen mit der Silbermedaille servus. Es gibt noch andere magische Momente bei den Spielen, die zu Tränen rühren. Das deutsche Tennisdoppel Nicolas Kiefer und Rainer Schüttler verliert in fünf Sätzen das Endspiel. Die Kugelstoßerin Nadine Kleinert weint nach ihrer Silbermedaille hemmungslos. Deshalb weiß Klaus-Dieter Petersen: „Irgendwann werde ich diese Medaille mögen."

Kiel IV (2002 bis 2007)

Nach zwölf Jahren beginnt beim THW eine neue Zeitrechnung. Der Zimmerpartner von Klaus-Dieter Petersen, Magnus Wislander, hat mit Ehefrau Camilla Kiel verlassen. Mit der Stena Scandinavica legt das Ehepaar samt Tochter Therese vom Schweden-Kai ab. Die beiden anderen Kinder, Veronica und Daniel, sind schon in Göteborg bei den Großeltern. „Max und ich werden immer in Kontakt bleiben", verspricht Klaus-Dieter Petersen, der nun im Trainingslager und bei Auswärtsspielen mit Sebastian Preiß einen anderen Zimmerpartner bekommt. Er selbst geht mit Beginn der neuen Spielzeit im Sommer 2002 in seinen letzten Abschnitt als Spieler bei den Zebras. Nach Abmachung mit Manager Uwe Schwenker darf Klaus-Dieter Petersen so lange spielen, wie er glaubt, spielen zu können. Jetzt folgt die zehnte Saison. Danach soll Klaus-Dieter Petersen den Kielern als Co-Trainer erhalten bleiben. Das Trainingslager wird wie üblich in Obenstrohe nahe Varel abgehalten. Nach 40 Trainingseinheiten und acht Testspielen fühlt sich der THW gerüstet. Klaus-Dieter Petersen nervt die Daumenprellung, die aber einen Einsatz beim Supercup in Hannover nicht verhindert. Der THW verliert trotzdem 27:34 gegen den TBV Lemgo, weil die Mannschaft durch Verletzungen von Sebastian Preiß, Demetrio Lozano und Nikolaj Jacobsen sowie Kapitän Stefan Lövgren quasi am Stock geht. „Wir müssen aufhören, zu jammern", sagt Klaus-Dieter Petersen.

Zusammen mit Lövgren unterzieht sich Klaus-Dieter Petersen einem Fitnesstest bei Dr. Stephanie Arndt. Sie ist selbst bis in die Zehenspitzen durchtrainiert und eine sehr erfolgreiche Triathletin, die nach ihrer Promotion das Zusammenwirken zwischen Sport und Medizin sucht, um eine optimale Leistung beim Sport zu erbringen. Im Auftrag der Kieler Nachrichten prüft die Fachärztin die beiden

Sportler auf Herz und Nieren. Dr. Stefanie Arndts Credo: „Gute Ausdauer schützt vor Verletzungen. Wenig Verletzungen, viele Siege." Im Sophienhof in Kiel, einem Einkaufszentrum, fließen im dritten Obergeschoss Schweiß und Blut für die Laktatwertmessung. Klaus-Dieter Petersen erreicht nach 18:10 Minuten Belastungszeit seine maximale Ergometerleistung von 429 Watt. Das sind umgerechnet 583,3 PS. Die Herzfrequenz des 34-Jährigen liegt bei 172, seine maximale Sauerstoffaufnahme liegt bei 5,334 Litern pro Minute. Den Vergleich mit Lövgren gewinnt der Kreisläufer. Dazu Dr. Stefanie Arndt: „Petersen hat offenbar größere respiratorische Kapazitäten, also ein besseres Herz-Kreislauf System." „Ich fühle mich fit wie ein Turnschuh", lacht Klaus-Dieter Petersen. Das Lachen vergeht ihm in den kommenden Wochen. Nach den 1:3 Punkten werden auch die kommenden fünf Spiele nicht gewonnen. Die Schweden Stefan Lövgren und Staffan Olsson fallen aus, dazu muss Piotr Przybecki das Comeback wegen erneuter Knieprobleme unterbrechen. Der THW ist Tabellenletzter mit 2:12-Zählern. Das gab es zuletzt 1973, als die Zebras aus der acht Mannschaften starken Nordgruppe der Bundesliga letztlich sogar absteigen. Nicht einmal der neu lackierte blaue Hallenboden bringt Glück. „Dann musst du, egal mit welchem Personal und auf welchem Boden, die Ärmel noch ein Stückchen höher krempeln", sagt Petersen. Eine Maßnahme, die hilft. Bis Ende des Jahres folgten 19:1 Punkte in Folge. In Wahrheit hat der THW das Spiel umgestellt. Ab sofort heißt es Tempo, Tempo, Tempo. Die Abwehr ist auf Ballgewinne für Gegenstöße der ersten und zweiten Welle ausgelegt. „Das macht richtig Spaß", sagt der Abwehrchef Klaus-Dieter Petersen. Bei Gegentreffern wird die schnelle Mitte praktiziert. In der Champions League erreichen die Kieler das Viertelfinale, im DHB-Pokal wird Lemgo im Achtelfinale – als Kontrast zur Supercup-Niederlage – mit den eigenen (Tempo-) Waffen geschlagen.

Aber die zweite Saisonhälfte gerät abermals zur Achterbahnfahrt, weil die Verletztenmisere nicht abreißt. Die Spieler sind mehr bei Ärzten und Physiotherapeuten, als beim Training in der Halle. Nach sieben deutschen Meisterschaften, drei Pokalsiegen, je zwei Super- cup- und EHF-Pokal-Erfolgen sowie einer Finalteilnahme an der Champions League scheinen die fetten Jahre vorbei zu sein. Nach weiteren 2:10 Punkten liegen die Nerven bei Kieler Spielern, Zu- schauern und Trainer Noka Serdarušić blank. Gegen die HSG D/M Wetzlar liegt Kiel 7:8 zurück, als nacheinander gegen Klaus-Dieter Petersen, Davor Dominiković, Nikolaj Jacobsen und gegen Torhüter Henning Fritz Zeitstrafen verhängt werden. Noka Serdarušić, der auf das Feld stürmt, sieht sogar die Rote Karte. Damit sind mit Torhüter Mattias Andersson und Kapitän Stefan Lövgren nur noch zwei Ak- teure auf dem Feld. Der THW muss nur ein Tor hinnehmen, schäumt aber vor Wut. Das führt zu einem 8:0-Lauf, aber die Gemüter lassen sich nicht beruhigen. „Wenn man so wütend ist, ob gerechtfertigt oder nicht, macht man Fehler", sucht Klaus-Dieter Petersen die Schuld nicht ausschließlich bei den Schiedsrichtern. Am Ende steht es 24:24. Nach zwei Spielen Sperre ist Trainer Noka Serdarušić wie- der dabei, und im Endspurt schaffen die Kieler tatsächlich noch Platz sechs, der zur Teilnahme am EHF-Pokal reicht. Zur Feier mit den Fans auf dem Rathausplatz reicht es nicht. Im privaten Kreis wird dagegen schon gefeiert. In den vergangenen zwei Jahren lässt sich Petersen zum Technischen Betriebswirt ausbilden. Vor der Industrie- und Handelskammer zu Kiel legt er eine erfolgreiche Prüfung ab. Die Befähigung reicht dazu, jetzt betriebswirtschaftliche Tätigkeiten und Führungsaufgaben im mittleren Management in größeren Unter- nehmen auszuführen oder sich darüber hinaus unternehmerisch selbstständig zu machen. „Das ist nicht immer ganz einfach gewe- sen. Umso mehr freue ich mich über den erfolgreichen Abschluss", atmet Petersen auf. Handball ist wichtig – der Beruf auch.

Die elfte Saison steht für Klaus-Dieter Petersen unter veränderten Vorzeichen. Er ist nun nicht mehr nur Spieler. Er hat die A-Lizenz-Ausbildung zum Handballtrainer begonnen und steht seinem Cheftrainer Noka Serdarušić jetzt als Co-Trainer zur Seite. Der nun älteste Akteur der Mannschaft übernimmt nach einer Trainingseinheit das Kommando bei der Abschlussgymnastik. „Wichtig ist nicht die Altersangabe im Reisepass, sondern immer noch die Leistung", sagt Klaus-Dieter Petersen. Er ist der Nachfolger von Co-Trainer Michael Menzel. „Wir haben das im Frühjahr als Experiment begonnen und setzen das nun fort", meint Klaus-Dieter Petersen gewohnt trocken. Ein Diplom als Fitnesslehrer befähigt ihn außerdem die Einheiten beim Krafttraining zu leiten. Aber es gibt wieder eine Reihe von neuen Spielern bei den Zebras. Verabschiedet werden Steinar Ege (VfL Gummersbach), Davor Dominiković (SG Kronau/Östringen), Ljubomir Pavlović (HSG Nordhorn), Morten Bjerre (HSV Hamburg), Staffan Olsson (Hammarby/Schweden) sowie Christian Scheffler und Martin Schmidt, die beide ihre Bundesliga-Karriere beenden. Neu im Team sind die Schweden Marcus Ahlm (IFK Ystad) und Martin Boquist (Redbergslid Göteborg) plus Adrian Wagner (HSV Hamburg), Christian Zeitz (SG Kronau-Östringen) und Roman Pungartnik (Wilhelmshavener HV).

Petersen fühlt sich wohl in seiner neuen Rolle. Solange ihn seine Mitspieler nicht „alter Sack" nennen würden, hätte er keine Probleme mit seiner neuen Rolle als Mannschaftsältester. Das Verhältnis zu den Mitspielern sei durch den neuen Co-Trainerposten jedenfalls kein anderes geworden. Für Klaus-Dieter Petersen gilt der Leitsatz: „Der Trainer hat immer recht, nicht der Älteste." Sportlich starten die Kieler mit 13:1 Punkten. Zur Jahreswende sind es 26:10-Zähler. Im DHB-Pokal und EHF-Cup stehen die Zebras im Viertelfinale. Im Winter ist endgültig klar, dass Klaus-Dieter Petersen ab Sommer 2004 nur noch als Co-Trainer aktiv sein soll. „Als Spieler bist du einfach dem Alter ausgesetzt und hast Deine Grenzen. Doch ich habe auch nach 15 Jahren Bundesliga gemerkt, dass ich sehr am Leistungssport hänge und weiter darin arbeiten möchte", sagt Klaus-Dieter Petersen. Er definiert seine neue Aufgabe – ganz teamorientiert – als Unterstützung für Noka Serdarušić. Der Fitnesslehrer, alle Zusatzqualifikationen hat er neben der Handballlaufbahn erworben, hält er seinem Chefcoach den Rücken frei. „Ich muss mich nicht in jede Talkshow setzen", sagt er trocken. Klaus-Dieter Petersen, der Vater von Marthe und Lena Kristin ist ein Familienmensch, vermittelt seine Erfahrungen an die jüngeren Kollegen. „Es reicht nicht, sich Bundesligaspieler zu nennen, man muss sich auch entsprechend verhalten", mahnt er. „Zu einem profihaften Lebensstil gehören neben Training die entsprechende Regeneration und beispielsweise die richtige Ernährung und ein entsprechender gesunder Lebenswandel." Der Handball sei in den vergangenen Jahren sehr viel athletischer geworden. An diesen Stellschrauben arbeitet der neue Co-Trainer gemeinsam mit den Ärzten und Physiotherapeuten im Team. Der Erfolg, so weiß Klaus-Dieter Petersen, setzt sich aus vielen kleinen Elementen zusammen. „Es ist egal, ob du Spieler oder Trainer bist, es zählt nur der Erfolg der Mannschaft." Der THW Kiel ist auf dem Weg zurück an die nationale Spitze, als ihn der Präsident des Landessportverbandes Schleswig-Holstein Dr. Ekkehard Wienholtz und Ministerpräsidentin Heide Simonis mit der Sportplakette, der höchsten Sportauszeichnung des Landes Schleswig-Holsteins, ehren. „Sie sind ein untadeliger Sportsmann, Sympathieträger und ein Vorbild für die Jugend", sagt Heide Simonis unter den üblichen Pfiffen in ihrer Laudatio. Klaus-Dieter Petersen antwortet in seiner trockenen Art: „Danke! Jetzt können wir mit dem Spiel anfangen." 10.250 Zuschauer in der Ostseehalle johlen. Die Kieler besiegen Lemgo 29:26, werden am Saisonende Vizemeister und EHF-Cup-Gewinner. Rund 3000 Fans sind nach dem Abpfiff auf dem Ostseehallen-Vorplatz geblieben, um zum Saison-Kehraus gemeinsam Spaß mit ihren THW-Helden zu haben.

Vor dem Anpfiff wird Klaus-Dieter Petersen (Mitte) von Schleswig-Holsteins Ministerpräsidentin Heide Simonis (rechts) und dem Präsidenten des Landessportverbandes Dr. Ekkehard Wienholtz (links) mit der Sportplakette des Landes ausgezeichnet.

Petersen Zukunftsplan wird geändert, obwohl er zum ersten Mal seit 1993 nicht im legendären Trikot mit der Nummer 9 auf dem Mannschaftsbild des THW Kiel zu sehen ist. Das Blitzlicht flackert diesmal in der Kieler Kunsthalle. Dort reiht sich Klaus-Dieter Petersen mit langer Trainingshose und schwarzem Poloshirt im Sommer 2004 als Co-Trainer sogar in die zweite Reihe ein. In die zweite Reihe als Spieler darf er sich jedoch nicht lange zurückziehen. Nach dem Gewinn der Silbermedaille bei den Olympischen Spielen in Athen, flachst Manager Uwe Schwenker: „Den Job als Co-Trainer bist du los, Noka braucht dich als Spieler." Dabei schmerzt Klaus-Dieter Petersen immer noch die Leistenzerrung aus dem Finale. Nicht einmal seine Kinder kann er in die Arme heben. Eine klare Ansage bekommen schon einmal die Mitspieler. „Ich werde die Jungs etwas härter rannehmen, denn ich möchte nicht noch einmal Zweiter werden."

Derweil laufen die Vorbereitungen zum Startschuss in die neue Bundesligaspielzeit. In der Arena „Auf Schalke" stehen sich zwei Wochen nach dem verpassten Olympiasieg in Gelsenkirchen der TBV Lemgo und der THW Kiel gegenüber. Für die Partie sind 30.925 Karten verkauft – Zuschauer-Weltrekord für ein Handballspiel zwischen zwei Vereinsmannschaften. Klaus-Dieter Petersen, ein bekennender Schalke-Fan, wird nicht rechtzeitig fit. Dass die Bundesliga-Fußballer am Sonnabend 0:3 beim VfL Wolfsburg verlieren, dämpft die Stimmung zusätzlich. Für Begeisterung sorgen die Kieler Anhänger. Exakt 924 Kieler Fans starten tags darauf mit dem Sonderzug der Deutschen Bahn um 7.30 Uhr auf Gleis 4 am Kieler Hauptbahnhof. Knapp fünf Stunden später ist die Luft im Tanzwagen wegen der Gesangseinlagen Viva Colonia und des Holzmichel-Liedes von der schwarz-weiß gekleideten Menge verbraucht. 6000 weitere THW-Anhänger reisen mit Bussen und Autos ins Ruhrgebiet nach Gelsenkirchen und freuen sich auf ein Spiel mit immer noch acht Silbermedaillengewinnern in beiden Teams. „Ich hätte nie gedacht, dass so etwas möglich ist", staunt Klaus-Dieter Petersen. Sein Team ge-winnt 31:26.

Gegen den VfL Gummersbach (36:22) sitzt Klaus-Dieter Petersen wieder in den üblichen kurzen Hosen auf der Ersatzbank. Als Stefan Lövgren ein paar Minuten verschnaufen muss, springt Petersen ein. Im November gehört er beim DHB-Pokal-Spiel und in der Champions League sogar zur Anfangsformation. Es läuft insgesamt ganz gut für die Kieler. Sie bleiben bis zum Saisonende in der Bundesliga nach den 10:4-Punkten aus den ersten sieben Spielen ungeschlagen. Nur ein 26:26-Remis bei der SG Flensburg-Handewitt und ein 33:33-Unentschieden bei Frisch Auf Göppingen bedeuten weitere zwei Verlustpunkte. Dabei macht Klaus-Dieter Petersen zwischendrin noch seine A-Lizenzprüfung. Die vergangenen Olympischen Spiele hat er als Hospitanz bei Bundestrainer Brand genutzt und hat bei seinem Vereinstrainer Noka Serdarušić gut aufgepasst. Die Lehrprobe, der wichtige praktische Teil der Ausbildung, wird mit einer 1,3 benotet. Nach einer 2,3 in der schriftlichen Klausur folgt in der mündlichen Prüfung nochmals die Note 1,3, sodass eine Gesamtnote von 1,7 in der Urkunde steht. „Ich habe gar nicht so viel Zeit fürs Pauken investiert, aber trotzdem ein prima Ergebnis erzielt", freut sich Klaus-Dieter Petersen.

Seine Kenntnisse darf er nur wenig später der Mannschaft vermitteln, denn Noka Serdarušić erleidet beim Fußballspiel mit der Mannschaft einen Achillessehnenabriss. Zwei Tage später sitzt der „harte Hund" (Klaus-Dieter Petersen) mit Gehhilfen und schmerzstillenden Medikamenten natürlich auf der Bank. Seine Mannschaft lässt auf dem Weg zum Titel nichts mehr anbrennen. „Ich habe euch die Schale versprochen, jetzt bringen wir sie mit nach Hause", ruft Klaus-Dieter Petersen den 20.000 Fans auf dem Kieler Rathausplatz zu. Er macht noch einmal den Zeremonienmeister, obwohl er von den insgesamt 52 Spielen in der Sai-

Eine der vielen Schlachten in Flensburg: Trainer Noka Serdarušić (links) auf der Bank mit Geschäftsführer Uwe Schwenker (Mitte) und Abwehrchef Klaus-Dieter Petersen (rechts).

son neunmal nicht teilgenommen hat und 26-Mal nicht eingesetzt wird.

Sekt und Bier sind schnell getrocknet. Im ominösen 13. Jahr jetzt gibt es den Spieler Klaus-Dieter Petersen nicht mehr. Er ist jetzt ausgebildeter Trainer, hat mit Bundestrainer Heiner Brand im DHB und Noka Serdarušić im Verein zwei gute Mentoren. Die Saisonvorbereitung läuft traditionell in Obenstrohe. Petersen trainiert ab, die anderen müssen draufpacken.

Die fünf Neuzugänge im Dress des deutschen Handball-Meisters kennen die Schmerzen, die ihnen in Ostriesland bevorstehen, nur aus Erzählungen. „Dann lernen sie es eben kennen", sagt Klaus-Dieter Petersen. Der THW wächst mit den Neulingen Kim Andersson (IK Sävehof/Schweden), Nikola Karabatic (Montpellier HB/Frankreich), Pelle Linders (Kolding IF/Dänemark), Vid Kavticnik (Gorenje Velenje/Slowenien) und dem Österreicher Viktor Szilagyi (TuSEM Essen) zu einer Sechs-Nationen-Mannschaft zusammen. Letzterer wird gleich zum Videowart für die Auswärtsfahrten bestimmt und droht damit, die komplette Reihe vom früheren Mister Universum und Schauspieler Arnold Schwarzenegger abzuspielen. Es passt eben zu den Krafteinheiten des THW.

Die Saison lässt sich gut an. In der Olympiahalle in München siegt der THW im Supercup 36:34 gegen die SG Flensburg-Handewitt und beendet eine ganz schwarze Serie. Acht Niederlagen und ein Remis stehen seit dem 25. Mai 2002 in der Historie. „Das war mir schon lange ein Dorn im Auge, aber jetzt freue ich mich, dass ich über unseren Sieg sprechen kann", sagt Klaus-Dieter Petersen mit einem Augenzwinkern. Schließlich folgt in der 2. DHB-Pokalrunde ein weiterer Sieg über den Landesrivalen. Der Vollbluthandballer wäre schon gerne noch auf dem Spielfeld dabei, „aber jetzt sehe ich das Spielgeschehen aus einem anderen Blickwinkel." Mit dem Anfertigen der Statistik ist er kurz vor Weihnachten kaum hinterhergekommen. Der THW fegt den SC Magdeburg mit 54:34 aus der Halle. 88 Tore in einem Bundesligaspiel sind neuer Rekord. Noch nie hat eine Mannschaft über 50 Tore erzielt. „Unglaublich", sagt Klaus-Dieter Petersen und wischt sich die schweißnasse Stirn trocken. Dabei hat er gar nicht gespielt. Anders sieht es bei der täglichen Arbeit aus. Der frühere Kreisläufer ist für das Konditionstraining verantwortlich. Klaus-Dieter Petersen bekommt den Freiraum, den ein junger Trainer braucht. Das Fachwissen verschafft ihm dazu Respekt. Am Saisonende ist der THW Kiel zum zwölften Mal in der Vereinsgeschichte Deutscher Meister und zieht mit dem bisherigen Rekordmeister VfL Gummersbach gleich. Von dort kommt Klaus-Dieter Petersen 1993 an die Kieler Förde. Jetzt feiert er hier nach sieben Meistertiteln als Spieler den ersten in der Trainerlaufbahn.

Außer Rand und Band sind die Kieler oft bei ihren Meisterfeiern. Hier wird Klaus-Dieter Petersen von den Anhängern auf den Händen getragen.

In der neuen Saison, der Spielzeit 2006/2007 träumen alle von einem Märchen. Die Fußballer wollen bei der Weltmeisterschaft im eigenen Land den Titel gewinnen. Genauso die Handballer im folgenden Winter. Und der THW Kiel will endlich Europas Thron besteigen. „Wir alle wissen, dass Märchen oft nicht wahr werden", kommentiert Klaus-Dieter Petersen. Die Zebras nehmen den mittlerweile zehnten Anlauf in der Champions League. Der weiße Fleck auf dem Briefkopf soll endlich einen Stempel bekommen. Dafür kommen noch einmal wieder Topspieler nach Schleswig-Holstein. Wie im Vorjahr Karabatic kommt mit Torhüter Thierry Omeyer ein weiterer Akteur von HB Montpellier aus Frankreich. Der Däne Lars Krogh Jeppesen wechselt vom FC Barcelona aus Spanien. Für die Linksaußenposition holt Manager Schwenker das erst 22-jährige Talent Dominik Klein vom TV Großwallstadt. Moritz Weltgen, zuvor beim VfL Bad Schwartau, erhält ein Zweitspielrecht für den TSV Altenholz, den Kieler Nachbar- und Ausbildungsklub.

Klaus-Dieter Petersen erledigt seine Arbeit, nimmt zum Tag der Deutschen Einheit mit Magnus Wislander und Manager Schwenker am Drachenbootrennen auf der Kieler Förde teil und hilft der zweiten Mannschaft des THW in der Oberliga Schleswig-Holstein. Nach 522 Bundesliga-Partien für Gummersbach und Kiel sowie 340 A-Länderspielen für Deutschland agiert er nicht nur gewohnt kraftvoll in der Abwehr, sondern wirft in der für ihn neuen Liga vier Tore beim 31:29-Sieg gegen den TSV Mildstedt.

Derweil marschieren die Profis zur Herbstmeisterschaft, punktgleich mit der SG Flensburg-Handewitt. Nach dem Wintermärchen der Nationalmannschaft, in der mit Torhüter Henning Fritz, Dominik Klein und Christian Zeitz drei THW-Akteure die Weltmeisterschaft gewinnen, werden die Kieler DHB-Pokalsieger und holen ihren ersten Titel der Saison. Die Revanche für die Vorjahreshalbfinalniederlage gegen die SG Kronau/Östringen glückt diesmal mit einem 33:31-Erfolg.

Der größte Erfolg in der Vereinsgeschichte endet mit dem Champions-League-Finale gegen die SG Flensburg-Handewitt. Dem 28:28-Unentschieden in Flensburg lassen die Kieler einen 29:27-Sieg in der Ostseehalle folgen. In der Kieler Kabine werden nach der rauschenden Siegesfeier auf dem Feld überdimensionale Biergläser herumgereicht. Klaus-Dieter Petersen und Noka Serdarušić sind stille Genießer und lassen die Mannschaft einfach machen. „Zurückhaltung ist in diesen Momenten oberste Trainerpflicht", begründet Klaus-Dieter Petersen. Das Triple wird gefeiert, laut und lang – die ganze Nacht. Nach dem Besuch beim Edel-Italiener Toni's Restaurant zeigt sich Stefan Lövgren mit dem Pokal auf dem Asmus-Bremer-Platz in der Innenstadt. In der Meisterschaft verwandeln die Zebras ihren zweiten Matchball und verteidigen somit ihren Titel. Es folgt die Party mit den Fans. Die Spieler werden alle zu Königen ernannt, tragen weiße T-Shirts, verziert mit einem Handball und einer Krone sowie rote Umhänge und werden per Cabrios auf den Rathausplatz gefahren. Er ist der Moment, in dem Dominik Klein den Zeremonienmeister Petersen ablöst.

Abschied

Und plötzlich fällt alles von einem ab. Jeder kennt das. Egal in welcher Situation des Lebens. Der eine hat die Schule erfolgreich zu Ende gebracht, der andere die Ausbildung. Dazu gibt es Menschen, die ein arbeitsreiches Leben hinter sich gebracht haben. „Jetzt bin ich eben kein aktiver Spieler mehr",verkündet Klaus-Dieter Petersen am Abend des 3. Juni 2005. Es ist ein langer Abschied vom geliebten Handballsport. Das rote Sofa, auf dem Klaus-Dieter Petersen eben noch schweißgebadet Platz in der Kieler Ostseehalle genommen hat, ist leer.

Ein paar Papierschnipsel drumherum erinnern noch an den Abend und an den Spieler, der bis eben neben dem THW-Maskottchen Hein Daddel gedankenverloren Schulter an Schulter sitzt. Es ist Klaus-Dieter Petersen. Ein Mann wie du und ich. Ein Mann aus dem Volk. Immer freundlich, aber ganz bestimmt sehr ehrgeizig. Insgesamt neun Mal darf er die Meisterschale in Höhe stemmen – acht Mal davon mit dem THW Kiel, einmal mit dem VfL Gummersbach. Nur mit Grün Weiß Dankersen/Minden, das heute GWD Minden heißt und dem Wilhelmshavener HV (da ist Klaus-Dieter Petersen eigentlich schon Trainer), steht er nicht auf dem Thron. Nach 340 Länderspielen und fast 20 Jahren Bundesliga ist nun Schluss. Eine solche Würdigung zum Karriereende erhalten ausschließlich Spieler, die länger als zehn Jahre für den THW gespielt oder mehr als 200 Länderspieleinsätze absolviert haben. Bei Klaus-Dieter Petersen ist alles erfüllt.

Seine Gedanken gehen acht Monate zurück an den 19. Oktober 2004, dem letzten seiner 340 Länderspiele in der Nationalmannschaft. Sichtlich geschafft, dazu logischerweise überwältigt von den Emotionen, zeigt sich das Kieler Idol. Über 10.250 Zuschauer sind in der Kieler Ostseehalle, um ihrem „Pitti", wie Klaus-Dieter

Petersen von fast jedem genannt wird, noch einmal gebührend zu feiern, danke zu sagen für den nimmermüden Einsatz und die Leidenschaft auf dem Handball-Parkett, das inzwischen einem weicheren PVC-Boden gewichen ist. Die Länderspielkarriere, die für Klaus-Dieter Petersen am 21. November 1989 mit dem Spiel gegen die DDR beginnt, wird heute mit dem internationalen Dauerbrenner Deutschland gegen Schweden abgeschlossen. Aber nicht nur der Kieler wird an diesem Abend verabschiedet. Insgesamt sagen sieben Stars „goodbye" oder „farvel". Neben Klaus-Dieter Petersen streifen Stefan Kretzschmar, Volker Zerbe, Mark Dragunski und Christian Schwarzer ein letztes Mal das Trikot der deutschen Nationalmannschaft über. Außerdem beenden die alten Schweden Magnus Wislander und Staffan Olsson ihre Laufbahn in der Ländermannschaft der Tre Kronor. Das ist jedenfalls der Plan. Nur der Blacky Schwarzer kann nicht genug bekommen. Er feiert 2007 sein Comeback, wird sogar Weltmeister und ist im Jahr darauf noch einmal bei den Olympischen Spielen in Hongkong mit von der Partie.

Zurück nach Kiel. „Für einen Moment wusste ich nicht, welches Trikot ich trage", sagt Klaus-Dieter Petersen. Aber das schwarzweiße THW-Trikot hängt im Schrank. Klaus-Dieter Petersen trägt das hauptsächlich in Schwarz gehaltene Trikot der Nationalmannschaft, das einen roten Bruststreifen besitzt und bei dem die Ärmel golden schimmern. Schwarz-Rot-Gold eben. Rechts oben steht diesmal nicht die Rückennummer. Dort ist die Ziffer 340 in weißer Farbe aufgeflockt. Sie steht für den 340. Länderspieleinsatz des Stars vom THW Kiel. „Zahlen bedeuten mir eigentlich nicht viel, aber das ist schon toll, so oft und so lange für sein Land spielen zu dürfen", kommentiert Klaus-Dieter Petersen.

Zusammen mit Stefan Kretzschmar, Volker Zerbe, Mark Dragunski und Christian Schwarzer blickt Klaus-Dieter Petersen an diesem

Abend auf 1269 Länderspieleinsätze in der Auswahl des Deutschen Handball Bundes zurück. „Ich musste schon schwer atmen, das Publikum da draußen ist verrückt", erinnert sich Klaus-Dieter Petersen. In Kiel kommen 10.250 Zuschauer zu einem Abschiedsländerspiel, und in Hamburg stehen sich gleichzeitig der HSV und Flensburg-Handewitt vor nur 8.748 Besuchern im Kampf um Bundesligapunkte gegenüber. „Wahnsinn", meint Petersen dazu.

Kurz vor dem Spiel wabert Nebel durch die Halle. Die Lasershow macht es bunt. Right Said Freds „Stand up for the Champions" lassen die Fans von ihren Sitzen aufspringen. Die Ostseehalle ist das sportliche Wohnzimmer von Klaus-Dieter Petersen. So wie der Center-Court in Wimbledon bei Tennis-Ikone Boris Becker. Natürlich

Die Nationalspieler (von links): Stefan Kretzschmar, Magnus Wislander, Volker Zerbe, Staffan Olsson, Mark Dragunski, Klaus-Dieter Petersen und Christian Schwarzer werden offiziell verabschiedet.

wollen die Fans auch Tore sehen. Zunächst fällt eine bemerkenswerte Geste der Schweden auf. Ihre Startformation mit Mattias Andersson, Henrik Lundström, Marcus Ahlm, Johan Pettersson und Martin Boquist besteht aus fünf aktuellen sowie mit Magnus Wislander und Staffan Olsson aus zwei ehemaligen THW-Spielern. Besser lässt sich Dankbarkeit für ein treues Publikum wohl kaum ausdrücken. „Hier in Kiel haben wir ohnehin die besten Fans der Welt", meint Klaus-Dieter Petersen. Es kommt das Gefühl auf, als kenne Klaus-Dieter Petersen jeden von ihnen seit Jahren persönlich. Genau genommen ist es umgekehrt.

Erste Gänsehaut-Atmosphäre kommt auf, als Klaus-Dieter Petersen mit lautstarken „Pitti-Pitti"-Rufen zum Wurf eines Siebenmeters gefordert wird. Er versenkt den Ball zum 11:9. Riesenjubel. Beifall, das Lebenselixier jedes Sportlers. Es ist sein Länderspieltor Nummer 252. Später folgt noch ein weiterer Treffer von der Strafwurfmarkierung. Zur Pause führt das deutsche Team mit 19:18. Die Spieler tanken in der Pause Energie über Elektrolytgetränke. Es soll schließlich noch ein langer Abend werden. Während der zweiten Halbzeit lässt keine Mannschaft erkennen, dass es sich hier um ein Freundschaftsspiel handelt. Offenbar ist es in dieser körperbetonten Sportart so etwas wie ein Alleinstellungsmerkmal. Das gibt es im Fußball nicht. Am Ende siegen die Schweden, weil Magnus Wislander gegen seinen Freund Henning Fritz das 32:31 markiert. „Fritze hätte aber auch mal einen Ball halten können. Ich hätte schon gerne gewonnen", lacht Petersen und ergänzt: „Max ist der Welthandballer des Jahrhunderts, der darf das."

Nach Spielende erlischt das Licht in der Ostseehalle. „So still ist es dort selten", kommentiert Klaus-Dieter Petersen. Per Saxofon wird „Time To Say Good Bye", gespielt. Die ersten Tränen fließen. Erst werden die Schweden Magnus Wislander und Staffan Olsson mit Beifallsstürmen, wie die meisten es eigentlich nur von einem Herbstorkan in Norddeutschland kennen, verabschiedet. Anschließend folgen die fünf deutschen Spieler. Es wirkt, als reicht der Beifall bei der Aufzählung der Leistungen nicht aus. Viele Zuschauer haben rote Hände vom Klatschen, sind außer Atem. Ihnen droht am nächsten Tag ein Muskelkater in den Armen. „Sie haben sehr viel für den Handballsport geleistet", erklärt IHF-Präsident Hassan Moustafa, der eigens vom afrikanischen Kontinent aus Ägypten anreist. Er überreicht jedem Spieler eine Ehrenurkunde.

Ministerpräsidentin Heide Simonis wird dagegen ausgepfiffen. Das kennt sie. Das ist immer so in der Ostseehalle. Aber dank der pfiffigen Abschiedsgeschenke verstummen die Pfiffe schnell. Langhaarträger Staffan Olsson bekommt eine Fünf-Liter-Packung Shampoo. Christian Schwarzer erhält eine Torwand für den Hausgebrauch, weil er zuletzt im „Aktuellen Sportstudio" nur die Kameraleute trifft. Kretzschmar, der sich einen Namen als Handball-Punk gemacht hat, darf das Schleswig-Holstein-Musik-Festival besuchen.

Danach wird gesungen, was das Zeug hält. Einen schönen Abschluss finden die sieben Spieler. Hanne Pries, Sängerin der Kieler Musikband „Tiffany", motiviert die Zuschauer sowie die beiden Nationalmannschaften gleichermaßen ihre Gesangskünste zu bekannten Melodien und schmissigen Texten zum Besten zu geben. Johan Pettersson streift sich noch eine blonde Perücke über. Pries hat nach dem Abschlusstraining nur ein einziges Mal mit den Jungs üben können. Später macht sich Erleichterung breit, als der Männergesangsverein endlich abtreten darf. Die Zuschauer fahren glücklich nach Hause. Es ist ein besonderer Abend.

Endgültig ist für Petersen aber noch nicht Schluss. Er spielt mit dem THW Kiel die Saison in der Handball-Bundesliga noch zu Ende. 26 Spiele im deutschen Oberhaus, fünf Einsätze im DHB-Pokal, zwei Begegnungen bei der Vereins-Europameisterschaft und zehn Europapokalpartien runden eine bemerkenswerte Laufbahn ab. Wie selbstverständlich wird zuvor auf dem Rathausplatz wieder einmal ordentlich gefeiert. Die Zebras lassen es nach ihrer elften deutschen Meisterschaft krachen. „Natürlich möchten wir Flensburg auch zur sechsten Vizemeisterschaft gratulieren", meint Petersen mit einem schelmischen Grinsen. Vielleicht sind es doch die beiden Punkte, die die Flensburger in Hamburg am Abschiedsabend von Klaus-Dieter Petersens Länderspielkarriere verloren haben, die in der Gesamtabrechnung fehlen. Das 22:28 beim HSV tut der SG Flensburg-Handewitt am Saisonende richtig weh, denn die Zebras haben das bessere Torverhältnis. Es fehlen zwei Punkte zu den Kielern. Dabei holt die SG nach einem 25:21 in Flensburg sogar ein 26:26-Unentschieden in Kiel.

Der Deckel auf dem Sandwich ist ein fast drei Stunden langes Abschiedsprogramm und ein „kling, Glöckchen, klingeling", wie das Klaus-Dieter Petersen als Zeremonienmeister bei den vielen Titelgewinnen oft zelebriert. An diesem Juni-Abend sind noch einmal rund 9000 Zuschauer in die Ostseehalle gekommen. Herrlich ist der Moment, als der gelernte Briefträger Magnus Wislander in der Verkleidung eines Postboten mit einem gelben Fahrrad die Meisterschale bringt. Zwischendurch hält Butler Richard kalten Gerstensaft auf einem Tablett bereit. In der Pause begeistert Lotto King Karl mit seinen Songs „Fliegen" und „Freunde" die Anhängerschaft. Das Handballtreiben, in dem noch einmal die Torhüter Axel Geerken, Jan Holpert, Michael Krieter, Goran Stojanović sowie die Feldspieler Marcus Ahlm, Magnus Andersson, Morten Bjerre, Patrick Cavar, Rune Erland, Julio Fis, Oystein Havang, Nikolaj Jacobsen, Frode Hagen, Andrej Klimovets, Thomas Knorr, Ola Lindgren, Demetrio Lozano, Stefan Lövgren, Staffan Olsson, Bernd Roos, Christian Scheffler, Henning Siemens, Martin Schmidt, Wolfgang Schwenke, Adrian Wagner, Magnus Wislander und Olaf Zehe mitwirken, endet 46:46. Als Trainer treten Bob Hanning und Noka Serdarušić in Erscheinung. „Eine Kultfigur wie Pitti muss gebührend verabschiedet werden", sagt THW-Manager Uwe Schwenker.

Danach beginnt die Laufbahn als Trainer. Klaus-Dieter Petersen arbeitet als Co-Trainer an der Seite von Noka Serdarušić beim THW Kiel, ist bei den Zebras für die Konditionsarbeit zuständig. Logisch, schließlich ist er in vielen Trainingslagern immer vorneweg gelaufen. Später ist er alleinverantwortlich beim Wilhelmshavener HV, TSV Altenholz und auch im Nachwuchsbereich des THW Kiel. Dazu ist Klaus-Dieter Petersen für den Deutschen Handball Bund (DHB) als Sichter und Trainer unterwegs. „Ich möchte den Jugendlichen etwas von dem weitergeben, was ich einst selbst gelernt habe." Ein Satz, der viele Jahre nach dem Ende der aktiven Laufbahn noch Gültigkeit besitzt.

Klaus-Dieter Petersen beendet nach zwölf Jahren im Trikot des THW Kiel seine Karriere als aktiver Handballspieler. THW-Maskottchen Hein Daddel (links) spendet Trost.

Trainerlaufbahn

In seiner aktiven Zeit wird Klaus-Dieter Petersen als einer der besten „Indianer" im Handball bezeichnet. Er jagt den gegnerischen Angreifern am liebsten den Ball ab. Über sich selbst sagt er: „Es muss nicht nur Häuptlinge geben, sondern auch Indianer." Klingt logisch. Jetzt im Sommer 2007 wird der Indianer zu einem Häuptling. Es wird schließlich gemacht, was der Häuptling anordnet. Klaus-Dieter Petersen ist jetzt Co-Trainer, damit Assistent seines Stammesführers sowie DHB-Jugendkoordinator und DHB-Trainer. Das Wort hat Gewicht, vor allem beim THW Kiel. Und so findet Pitti, den alle weiter beim Spitznamen rufen dürfen, Daniel Wessig im Trikot des HC Aschersleben. Für den Club am Nordostrand des Harzes hat der 19-Jährige gerade 171 Tore in 31 Spielen in der Regionalliga der Männer geworfen. Es reicht trotzdem nicht zum Klassenerhalt. Aber Wessig hat die Vorgabe von Klaus-Dieter Petersen („Im letzten Jugendjahr musst du im Männerbereich spielen, alles andere ist verlorene Zeit") umgesetzt. Deshalb darf er zur Probe schon in Kiel bei Noka Serdarušić mittrainieren, stellt sich nach eigener Aussage nicht ungeschickt an und bekommt einen Profivertrag. Wer den Namen Wessig trägt, will eben hoch hinaus. Schließlich ist sein Vater Gerd 1980 Olympiasieger im Hochsprung geworden. Der überquert die Latte in Moskau bei 2,36 m und holt mit diesem Weltrekord die Goldmedaille. In Kiel stürzt Wessig Junior leider schnell ab. Ein falscher Schritt, und plötzlich ist das Knie von einem Knorpelschaden befallen. Die Nachwuchshoffnung legt eine Zwangspause ein.

Klaus-Dieter Petersens Tätigkeit in Kiel und für den DHB gleicht derweil einem Spagat. Er wohnt in Kiel, verbringt aber viel Zeit auf den Autobahnen der Republik. Wenn das Mobil-Telefon in der Freisprecheinrichtung einmal nicht klingelt, kann er über die Trainingseinheiten nachdenken. „Mit diesem Job bin ich rund 120 Tage im Jahr unterwegs." Bei der Junioren-Weltmeisterschaft 2007 unterliegt Deutschland den Schweden mit 29:31. Im schwedischen Tor steht Andreas Palicka, der kurz darauf beim THW Kiel anheuert. „Noka wollte ihn unbedingt", sagt Klaus-Dieter Petersen und schmunzelt.

Darüber hinaus nimmt er Noka Serdarušić mehr und mehr die Arbeit im Fitnessbereich ab. Das Wort „du Schleifer" soll des Öfteren fallen. Aber der Triple-Sieger Kiel marschiert auch dank Klaus-Dieter Petersen weiter durch die Saison, ist zur Jahreswende Zweiter. Wie immer dreht sich das Trainerkarussell. Plötzlich heißt es für Klaus-Dieter Petersen ganz kirmesgetreu, „bitte einsteigen, immer wieder dabei sein, immer wieder mitmachen". Der Wilhelmshavener HV buhlt nach der Freistellung von Michael Biegler um den Kieler Co-Trainer. „Ich habe immer gesagt, dass ich mich weiterentwickeln will und dass mich eine Aufgabe als hauptamtlicher Trainer in der Bundesliga interessiert", kommentiert Klaus-Dieter Petersen. Manager Uwe Schwenker schaltet die Ampel auf Grün: „Pittis Ziel muss es sein, eine Mannschaft alleinverantwortlich zu übernehmen." Aus dem Co-Trainer wird ein Cheftrainer. Für zweieinhalb Jahre unterschreibt er am Jadebusen, wie das Elbe-Weser-Dreieck auch genannt wird. Beim DHB wird der Vertrag entfristet, in eine Honorartrainertätigkeit umgewandelt. Schließlich will Klaus-Dieter Petersen seine Jungs der Geburtsjahrgänge 1990/1991 bei der Jugend-Europameisterschaft unbedingt betreuen. Nach der Unterschrift beim WHV sagt Klaus-Dieter Petersen: „Das war für mich ein weiterer, wichtiger Schritt in meiner Laufbahn." Sein neuer Club liegt mit 10:28 Punkten auf Platz 15, lediglich einen Zähler über dem Abstiegsstrich. Perspektivlos nennt es Vorgänger Michael Biegler und fliegt. In der Rückrunde der Saison 2007/2008 kommt es natürlich zu einem Spiel gegen den THW.

Klaus-Dieter Petersen setzt alle seine geheimen Kenntnisse ein. „Eine 3:3-Abwehr mag der THW gar nicht", weiß er. Gegen die Kieler Angriffe ist der WHV gut vorbereitet, liegt nur 12:14 zur Pause zurück. Die heiße Stimmung in der Nordfrost-Arena von Wilhelmshaven kühlt erst im zweiten Abschnitt mehr und mehr ab. Nach dem 27:37 sagt Klaus-Dieter Petersen ganz kiellike: „Wir werden etwas mehr trainieren. Die Mannschaft ist schon umgezogen. Wir machen jetzt einen 30-Minuten-Lauf." Aber alle Zielstrebigkeit hilft nicht, wenn die Maschine Mensch nicht funktioniert. Eine Reihe von Verletzungen überfällt das Team. Selbst Klaus-Dieter Petersens Rückkehr auf das Feld kann das nicht kompensieren. Nach sechs Jahren Zugehörigkeit zur Ersten Liga steigt Wilhelmshaven ab. Es fehlen vier Punkte.

Martin Heuberger (links) und Klaus-Dieter Petersen coachen die deutsche U21-Nationalmannschaft.

So goldig wie die geschminkten Spieler des THW an diesem Abend im Mai 2008 wieder einmal vom Rathausbalkon glänzen, strahlt Klaus-Dieter Petersen erst drei Monate später wieder. Er gewinnt mit der U18-Nationalmannschaft Gold bei der Europameisterschaft in Tschechien. Das 31:27 in Brünn gegen die favorisierten Dänen ist ein ganz großer Wurf des deutschen Handball-Nachwuchses. Hendrik Pekeler ist einer der Helden. Damals trägt er noch den Dress der Bramstedter TS, einem Vorzeigeclub im südlichen Schleswig-Holstein. Danach folgt der Wechsel zum THW Kiel plus Förderlizenz für den bekannten Nachbarverein TSV Altenholz. Ebenfalls zur Mannschaft gehört Tim Hornke, bis dato noch für den HSV Hannover am Ball. Steffen Fäth (SG Wallau-Massenheim) wird zum besten Spieler des Turniers gekürt. Petersen fordert die Spieler früh auf, viel in der Grundathletik zu tun. „Das Anforderungsprofil wird immer härter, und Nationalspieler müssen immer mehr leisten", weiß Klaus-Dieter Petersen aus eigener Erfahrung. Er bleibt darüber hinaus beim Wilhelmshavener HV in der Verantwortung. Das erste Jahr in der Zweiten Liga ist hartes Brot. Die Spieler haben daran zu knabbern, dass sich der Erfolg nicht wie gewünscht einstellen will. Es zeichnet sich ab, dass die Mission Wiederaufstieg auf keinen Fall erfüllt werden kann. Dabei ist mit Henning Padeken ein 22-Jähriger dabei, der einst freiwillig in den Sommerferien beim THW das Trainingslager absolvierte. „Ich habe ihm gesagt, wenn er fleißig weiter trainiert, kommt eines Tages seine Chance", sagt Klaus-Dieter Petersen. Aber die Sprung- und Wurfkraft des 2,04 m großen Rückraumspielers allein genügt nicht. Deshalb wird das Team noch einmal stark verjüngt. Im Altersschnitt ist der WHV 22,6 Jahre alt. Aber eine Liga, in der ältere Spieler anderer Nationen ihre Laufbahn ausklingen lassen, ist nichts für junge Rothäute. „Jedem Verein würde es gut tun, jungen deutschen Talenten eine Chance zu geben", fordert Klaus-Dieter

Petersen und ergänzt: „Vor allem in einem funktionierenden Kollektiv können sie nach vorne spielen." Die Zweitligaspielzeit beginnt mit sieben Niederlagen hintereinander und endet schließlich im Frühjahr 2010 auf Platz 14. Petersen steigt vom Karussell ab.

Es folgen zwei Jahre als Trainer von Eintracht Hildesheim II und für den Handball-Verband Niedersachsen. Die Youngster aus der Domstadt führt Klaus-Dieter Petersen im ersten Jahr von der Oberliga Weser-Schaumburg-Leine in die Landesliga Hannover. Der Vorsprung ist riesengroß. Lediglich ein Spiel endet mit einer Niederlage.

Plötzlich, kurz nach der Rapsblüte 2012 klopft der THW Kiel wieder an. Manager Klaus Elwardt und der Macher des TSV Altenholz, Peter Linke, machen sich für Klaus-Dieter Petersen stark. Beide Clubs haben ein Nachwuchskonzept auf die Beine gestellt, das jetzt mit Inhalt und mit Leben gefüllt werden muss. Die Zebras aus Kiel brauchen nach der Aufbauarbeit ihres Sportlichen Leiters und Jugendtrainers Raul Alonso einen Stall für die heranwachsenden Fohlen. Die Trainingsinhalte werden künftig auf allen Ebenen mit Cheftrainer Alfred Gislason abgestimmt. Mit wem sonst? Seit vier Jahren ist der Isländer der Nachfolger von Noka Serdarušić, galoppiert ohne Verlustpunkt durch die Bundesliga, hat neben dem Meistertitel, den DHB-Pokal und die Champions League gewonnen. Keiner weiß mehr als Alfred Gislason. Es sollen nun die Voraussetzungen geschaffen werden, in absehbarer Zeit Spieler für das Rodeo in der Bundesligamannschaft heranzuziehen.

Gerald Glöde, Geschäftsführer vom Handball-Verband Niedersachsen, ist Klaus-Dieter Petersen nicht böse und gibt seinen Landestrainer zwölf Monate vor Vertragsende frei. Parallel muss und will Klaus-Dieter Petersen die Jahrgänge 1994/1995 des DHB erfolgreich zu Ende begleiten.

Mit einem 30:29-Erfolg nach Verlängerung über Schweden gelingt das Vorhaben. Deutschland ist überraschend U18-Europameister.

2500 Zuschauer in der Handball-Arena in Hard (Österreich) sind begeistert. Klaus-Dieter Petersen wird gefragt, wem er den Sprung in die Bundesliga zutraut: „Diejenigen, die gelernt haben, dass man für den Erfolg arbeiten muss und die nie zufrieden sind, können es schaffen. Talentiert sind in dieser Mannschaft viele." Dazu zählen die Torhüter Jonas Maier (Rhein-Neckar Löwen) und Christopher Rudeck (SG Flensburg-Handewitt), aber auch der Dormagener Simon Ernst oder Paul Drux (SG Spandau/Füchse Berlin). „Jeder einzelne – das gilt für alle Spieler der Europameistermannschaft – wird den nächsten Schritt nur gehen können, wenn das eigene Engagement stimmt, wer den Verein mit Bedacht auswählt und sich nicht gleich langfristig bindet. Erst einmal geht es auch darum, Erfahrungen zu sammeln", schreibt Petersen seinen Schützlingen neben den wichtigsten Handball-Vokabeln ins Oktavheft. Die Mannschaft übergibt er an den ehemaligen Nationalmannschaftskollegen Christian Schwarzer, der als DHB-Jugendkoordinator und Juniorencoach arbeiten wird. Für den A-Lizenz-Inhaber Klaus-Dieter Petersen, der in den vergangenen drei Jahren das Trainer-Diplom per Fernstudium mit Präsenzphasen in Köln erwirbt, ist die Rückkehr in die Landeshauptstadt von Schleswig-Holstein eine Herzensangelegenheit. Schließlich leben die beiden Kinder in Kiel und mit Saskia Gey, einer Physiotherapeutin aus Eckernförde, hat er eine neue Lebensgefährtin an seiner Seite. Beide heiraten im Jahr 2015.

Die Zusammenarbeit der beiden Clubs TSV Altenholz und THW Kiel soll dem Handball am Standort Kiel einen Synergieeffekt bescheren. Die Rohdiamanten Rune Dahmke und Fynn Ranke sind die ersten Spieler, die die Trikots beider Vereine tragen und in der Trainingsarbeit zu Pendlern werden. Nur ein Jahr später trägt die Arbeit Früchte. Die zweite Mannschaft des THW Kiel wird Meister der Oberliga Hamburg/Schleswig-Holstein und steigt in die Dritte

Liga auf. Der TSV Altenholz schafft mit Trainer Klaus-Dieter Petersen über Rang zwei den Sprung in die Zweite Bundesliga. Die Farbenlehre der gelb-schwarzen Altenholzer und der Schwarz-Weißen THWer lässt sich noch nicht auf Dauer erfolgreich vermischen. Während der THW Kiel II die Liga gehalten hat, ist der TSV Altenholz wieder abgestiegen. 2014 wird die Vernunftehe der Sportclubs erst einmal gütlich geschieden.

Hinter den Kulissen wird weiter an einer Verkupplung der sich letzutlich doch Liebenden gearbeitet. Alle wollen im Sinne des Sports handeln. Nach einem Jahr tauschen der TSV Altenholz und der THW Kiel erneut die Ringe. Klaus-Dieter Petersen wird nun Nachwuchskoordinator beim deutschen Rekordmeister. Mannhard Bech, einst deutscher Meister an der Seite von Klaus-Dieter Petersen, hat sich als einer der besten Jugendausbilder deutschlandweit einen Namen gemacht und wird in der Nachwuchsförderung der Zebras aktiv. „Die Ausbildung junger Spieler liegt mir sehr am Herzen. Mannhard und ich haben einen langfristigen Plan, wie wir unsere Talente nach vorn bringen und die Nachwuchsarbeit beim THW insgesamt intensivieren können. Ziel ist es, die jungen, handballbegeisterten Spieler früh zu fördern und zu fordern – auf und abseits des Spielfeldes", kommentiert Klaus-Dieter Petersen. Aus der U23 des THW erhält Torhüter Dominik Plaue ein Zweitspielrecht für den TSV Altenholz. Weil die Nachwuchsspieler im Club und dessen Umfeld nahezu optimale Bedingungen vorfinden, erhält der THW von der Handball-Bundesliga das Jugendzertifikat für herausragende Nachwuchsarbeit. Klaus-Dieter Petersen und Mannhard Bech sind zu Recht sehr stolz. „Wir haben bereits mehrfach bewiesen, dass junge Spieler beim THW Kiel hervorragend ausgebildet werden und es sogar in die Bundesligamannschaft schaffen können. Das hat sich inzwischen bundesweit herumgesprochen." Ferris Klotz aus der Bundesliga-A-Jugend des THW Kiel wird in die U18-Nationalmannschaft berufen. Sebastian Firnhaber, der beim TSV Altenholz nach seiner Zeit beim THW Kiel II dort inzwischen von Trainer Mannhard Bech weiter ausgebildet wird, erhält einen Profivertrag bei den Zebras. Zuvor ist dies Rune Dahmke gelungen. „Wir brauchen uns mit unserem Nachwuchs nicht mehr zu verstecken", sagt Klaus-Dieter Petersen. Sogar Rogerio Ferreira Moraes, den Klaus-Dieter Petersen allein aufgrund der sprachlichen Barriere immer sehr unterstützt, durchläuft den Kreislauf vom THW Kiel über den TSV Altenholz zurück zum THW. Er wird schließlich Champions-League-Sieger mit Vardar Skopje (Nordmazedonien). Unvergessen ist, dass der Brasilianer in Kiel mit dem Fahrrad auf der Schnellbahn B76 zwischen Altenholz und Kiel von der Polizei gestoppt wird. Der 2,04-Meter-Riese hat auf dem Weg zum Training das Navigationsgerät auf den Pkw-Modus eingestellt. „Das zeigt seinen Ehrgeiz, er will eben nicht zu spät kommen", schmunzelt Klaus-Dieter Petersen. Natürlich ist es dem ehemaligen Nationalspieler und heutigen Trainer zusätzlich ein Anliegen, die Trainerkollegen in Deutschland voranzubringen. Seit 2009 ist er deswegen Vorsitzender der Deutschen Handball Trainer Vereinigung. Dort wird der Dialog zwischen Praxis und Theorie in zahlreichen Fragestellungen gefördert. „Wir sind ein Zusammenschluss von lizenzierten Handballtrainern und Schiedsrichtern aller Leistungsklassen, am Handball interessierten Sportwissenschaftlern, Sportmedizinern und Physiotherapeuten", beschreibt Klaus-Dieter Petersen sein Ehrenamt. Handball ist und bleibt das Lebenselixier von Klaus-Dieter Petersen. Beifall und Chapeau!

Trainerlaufbahn
Die Trainer Michael Haß (blau, links) und Klaus-Dieter Petersen (rechts)
knien an der Seitenlinie vor der Bank der A-Jugendbundesliga und ver-
folgen das Spiel ihres THW.

Länderspiele-Bilanz

Datum	Gegner	Ergebnis	Ort	Anlass	Tore
1989					
21. Nov	DDR	18:25 (7:12)	Wilhelmhaven	SC	1
22. Nov	Sowjetunion	25:35 (9:18)	in Baunatal	SC	4
24. Nov	Schweden	15:22 (9:11)	Mülheim/Ruhr	SC	3
26. Nov	Tschechoslowakei	17:20 (7:8)	Oberaden	SC	3
1990					
17. Jan	Finnland	26:15 (11:7)	Sandefjord (NOR)	PC	1
20. Jan	Österreich	16:18 (11:8)	Fredrikstad (NOR)	PC	2
21. Jan	Norwegen	26:19 (10:11)	Oslo (NOR)	PC	1
3. Feb	Frankreich	18:15 (9:6)	St. Leon-Rot	F	0
4. Feb	Frankreich	14:20 (7:11)	Hagondange (FRA)	F	0
7. Feb	DDR	17:22 (9:8)	Berlin	F	0
20. Mrz	Niederlande	21:15 (8:9)	Schwäbisch Gmünd	VLT	0
31. Mrz	Belgien	18:15 (10:6)	Turku (FIN)	C-WM	0
1. Apr	Türkei	21:11 (9:5)	Turku (FIN)	C-WM	0
4. Apr	Norwegen	18:20 (10:11)	Turku (FIN)	C-WM	0
6. Apr	Israel	26:14 (13:5)	Ekenäs (FIN)	C-WM	0
8. Apr	Bulgarien	25:17 (14:9)	Espoo (FIN)	C-WM	3
4.Juli	Jugoslawien	18:18 (10:8)	Zrenjanin (YUG)	F	5
5.Juli	Ungarn	10:13 (3:6)	Kikinda (YUG)	F	2
6.Juli	Frankreich	17:19 (7:7)	Kikinda (YUG)	F	2
7.Juli	Sowjetunion	22:28 (11:11)	Zrenjanin (YUG)	F	5
19. Ok	Dänemark	27:20 (13:11)	Karlsruhe	VLT	3
20. Okt	Tschechoslowakei	21:20 (12:11)	Augsburg	VLT	0
21. Okt	Jugoslawien	24:24 (12:11)	Stuttgart	VLT	2
14. Nov	Sowjetunion	19:18 (9:9)	Kiel	F	1
16. Nov	Schweden	20:26 (10:15)	Frankfurt/Main	VLT	1
21. Dez	Island	20:17 (7:11)	Lübeck	F	0
21. Dez	Island	21:14 (8:5)	Schwerin	F	2

1991

16. Jan	Dänemark	22:17 (10:7)	Surnadal (NOR)	PC	5
17. Jan	Niederlande	22:11 (10:6)	Inderøy (NOR)	PC	1
19. Jan	Norwegen	17:16 (11:6)	Drammen (NOR)	PC	0
19. Jan	Tschechoslowakei	19:15 (9:10)	Løten (NOR)	PC	1
20. Jan	Österreich	25:17 (13:10)	Oslo (NOR)	PC	0
29. Jun	Ungarn	23:16 (13:6)	Bonn	F	1
30. Jun	Ungarn	22:21 (10:11)	Münster	F	0
23. Jul	Spanien	18:24 (8:12)	Granollers (ESP)	VOT	0
24. Jul	Rumänien	19:15 (12:8)	Granollers (ESP)	VOT	1
25. Jul	Russland	19:19 (11:9)	Granollers (ESP)	VOT	0
27. Jul	Schweden	23:20 (10:11)	Granollers (ESP)	VOT	0
18. Okt	Jugoslawien	17:17 (10:9)	Holstebro (DEN)	VLT	0
19. Okt	Tschechoslowakei	20:14 (12:9)	Silkeborg (DEN)	VLT	0
20. Okt	Dänemark	19:19 (10:8)	Aarhus (DEN)	VLT	0
15. Nov	Tschechoslowakei	27:17 (14:8)	Hannover	F	1
16. Nov	Tschechoslowakei	14:16 (7:6)	Baunatal	F	1
19. Nov	Rumänien	19:18 (11:10)	Karlsruhe	SC	0
20. Nov	Schweden	20:24 (8:12)	Karlsruhe	SC	0
22. Nov	Spanien	18:19 (11:12)	Frankfurt/ Main	SC	1
23. Nov	Jugoslawien	16:15 (9:11)	Frankfurt/Main	SC	0
24. Nov	Russland	24:19 (14:13)	Frankfurt/Main	SC	0
21. Dez	Russland	21:19 (13:7)	Flensburg	F	3
22. Dez	Russland	29:24 (17:12)	Wismar	F	1

1992

11. Mrz	Österreich	20:15 (9:6)	Innsbruck (AUT)	F	2
13. Mrz	Österreich	22:17 (14:10)	Sonthofen	F	0
14. Mrz	Schweiz	19:18 (11:11)	Singen	F	0
15. Mrz	Schweiz	19:22 (11:8)	Basel (SUI)	F	0
20. Jun	Island	19:20 (10:9)	Reykjavík (ISL)	F	0
21. Jun	Island	19:16 (10:8)	Reykjavík (ISL)	F	0
26. Jun	Portugal	23:15 (14:6)	Batalha (PRT)	F	1
28. Jun	Portugal	20:16 (11:4)	Batalha (PRT)	F	1
5. Jul	Ungarn	18:18 (9:8)	Budapest (HUN)	F	0

11. Jul	Kroatien	24:24 (14:10)	Duisburg	F	0
12. Jul	Island	21:17 (8:7)	Bergisch Gladbach	F	0
16. Jul	Schweden	21:22 (12:11)	Karlshamn (SWE)	F	0
16. Jul	Schweden	24:26 (11:11)	Kalmar (SWE)	F	0
17. Jul	Schweden	19:19 (12:10)	Karlshamn (SWE)	F	1
17. Jul	Schweden	20:20 (9:10)	Karlskrona (SWE)	F	0
27. Jul	Vereintes Team	15:25 (7:12)	Granollers (ESP)	Oly	0
29. Jul	Rumänien	20:20 (9:13)	Granollers (ESP)	Oly	0
31. Jul	Frankreich	20:23 (9:10)	Granollers (ESP)	Oly	0
2. Aug	Ägypten	24:16 (13:5)	Granollers (ESP)	Oly	0
4. Aug	Spanien	18:19 (8:8)	Granollers (ESP)	Oly	0
7. Aug	Tschechoslowakei	19:20 (8:11)	Granollers (ESP)	Oly	0
23. Okt	Niederlande	18:18 (10:7)	Považská B. (CSK)	VLT	1
24. Okt	Dänemark	22:14 (13:8)	Považská B. (CSK)	VLT	1
25. Okt	Tschoslowakei	26:23 (10:12)	Považská B. (CSK)	VLT	0
21. Nov	Russland	20:18 (11:9)	Koblenz	DLT	1
22. Nov	Schweden	16:19 (6:9)	Koblenz	DLT	0

1993

10. Feb	Tschechien	22:22 (11:12)	Hagen	F	0
11. Feb	Tschechien	28:22 (9:9)	Wuppertal	F	0
18. Feb	Norwegen	22:24 (11:11)	Bodø (NOR)	F	2
19. Feb	Norwegen	22:17 (13:5)	Eidsvoll (NOR)	F	0
20. Feb	Österreich	18:17 (9:6)	Wangen/Allgäu	F	1
21. Feb	Österreich	22:21 (11:14)	Dornbirn (AUT)	F	0
26. Feb	Weißrussland	25:25 (13:12)	Valladolid (ESP)	VLT	4
27. Feb	Spanien	18:21 (11:10)	Valladolid (ESP)	VLT	2
28. Feb	Algerien	20:19 (11:10)	Valladolid (ESP)	VLT	2
3. Mrz	Schweiz	24:19 (11:11)	Göppingen	F	2
10. Mrz	Dänemark	20:20 (10:11)	Malmö (SWE)	WM	2
12. Mrz	Südkorea	28:25 (16:11)	Malmö (SWE)	WM	1
13. Mrz	Russland	19:19 (10:5)	Malmö (SWE)	WM	0
15. Mrz	Island	23:16 (10:5)	Stockholm (SWE)	WM	0
17. Mrz	Schweden	16:24 (7:9)	Stockholm (SWE)	WM	0
18. Mrz	Ungarn	22:21 (12:7)	Stockholm (SWE)	WM	1

20. Mrz	Spanien	26:29 (13:16)	Stockholm (SWE)	WM	0
18. Jun	Niederlande	18:17 (7:8)	Sittard (NLD)	EM-Q	1
20. Jun	Niederlande	18:12 (10:3)	Solingen	EM-Q	1
26. Jun	Israel	27:13 (15:8)	Bielefeld	EM-Q	1
30. Jun	Griechenland	36:17 (19:7)	Homburg	EM-Q	2
8. Okt	Schweiz	25:21 (13:9)	Schaffhausen (SUI)	F	1
9. Okt	Schweiz	26:21 (16:12)	Singen	F	0
23. Nov	Israel	30:18 (15:9)	Rischon LeZion (ISR)	EM-Q	1
26. Nov	Schweiz	28:21 (15:10)	Karlsruhe	SC	0
27. Nov	Rumänien	29:20 (16:8)	Eppelheim	SC	0
28. Nov	Schweden	25:28 (11:16)	Böblingen	SC	0
19. Dez	Frankreich	26:22 (14:8)	Aschaffenburg	EM-Q	0

1994

5. Jan	Russland	29:22 (15:11)	Fulda	F	1
9. Jan	Frankreich	18:19 (7:10)	Paris (FRA)	EM-Q	0
13. Mai	Japan	31:14 (17:5)	Paris (FRA)	TdP	2
14. Mai	Ägypten	30:28 (13:14)	Paris (FRA)	TdP	2
15. Mai	Frankreich	17:18 (10:9)	Paris (FRA)	TdP	0
21. Mai	Spanien	23:21 (12:6)	Leganés (ESP)	F	3
22. Mai	Spanien	16:21 (8:10)	Leganés (ESP)	F	0
27. Mai	Weißrussland	32:23 (15:11)	Hamburg	VLT	0
28. Mai	Dänemark	24:20 (10:9)	Flensburg	VLT	0
29. Mai	Frankreich	21:20 (10:10)	Flensburg	VLT	1
3. Jun	Weißrussland	23:24 (12:10)	Almada (PRT)	EM	1
4. Jun	Kroatien	22:24 (11:14)	Almada (PRT)	EM	0
5. Jun	Frankreich	21:21 (11:10)	Almada (PRT)	EM	0
7. Jun	Russland	16:25 (9:12)	Almada (PRT)	EM	0
8. Jun	Rumänien	25:19 (11:10)	Almada (PRT)	EM	0
10. Jun	Slowenien	28:18 (15:10)	Almada (PRT)	EM	2
4. Aug	Marokko	42:21 (20:10)	Balingen	VLT	2
6. Aug	Ägypten	29:29 (16:19)	Göppingen	VLT	2
2. Nov	Kroatien	29:17 (13:8)	Kreuztal	F	2
4. Nov	Ungarn	30:17 (13:7)	Magdeburg	VLT	0
5. Nov	Kroatien	23:21 (11:13)	Hannover	VLT	0
6. Nov	Russland	21:21 (12:10)	Bielefeld	VL	0

1995

4. Jan	Ägypten	30:21 (12:9)	Fulda	F	1
5. Jan	Ägypten	25:21 (9:11)	Marburg	F	2
7. Jan	Island	20:22 (8:10)	Kópavogur (ISL)	F	4
8. Jan	Island	21:22 (8:11)	Reykjavík (ISL)	F	0
4. Mrz	Schweiz	20:19 (8:8)	Basel (SUI)	F	1
5. Mrz	Schweiz	20:26 (9:14)	Aarau (SUI)	F	1
8. Mrz	Tschechien	29:23 (14:10)	Suhl	F	2
9. Mrz	Tschechien	24:23 (9:10)	Neustadt/Saale	F	0
21. Apr	Russland	19:19 (7:10)	St. Gallen (SUI)	VLT	1
22. Apr	Spanien	20:21 (9:13)	Olten (SUI)	VLT	1
23. Apr	Schweiz	21:20 (14:9)	Zürich (SUI)	VLT	0
8. Mai	Rumänien	27:19 (11:11)	Kópavogur (ISL)	WM	0
10. Mai	Japan	30:19 (15:9)	Kópavogur (ISL)	WM	2
11. Mai	Dänemark	24:18 (11:9)	Kópavogur (ISL)	WM	0
13. Mai	Algerien	24:15 (10:8)	Kópavogur (ISL)	WM	0
14. Mai	Frankreich	23:22 (11:11)	Kópavogur (ISL)	WM	0
16. Mai	Weißrussland	33:26 (15:13)	Kópavogur (ISL)	WM	0
17. Mai	Russland	20:17 (12:7)	Reykjavík (ISL)	WM	2
19. Mai	Frankreich	20:22 (8:11)	Reykjavík (ISL)	WM	0
21. Mai	Schweden	20:26 (9:11)	Reykjavík (ISL)	WM	0
30. Sep	Litauen	21:21 (10:10)	Emsdetten	EM-Q	0
1. Okt	Litauen	24:16 (12:7)	Lübbecke	EM-Q	1
3. Nov	Schweiz	16:23 (7:7)	Basel (SUI)	EM-Q	1
5. Nov	Schweiz	26:13 (9:6)	Offenburg	EM-Q	0
21. Nov	Rumänien	27:20 (15:11)	Stuttgart	SC	0
24. Nov	Schweden	26:23 (14:9)	Karlsruhe	SC	0
25. Nov	Russland	16:18 (10:10)	Stuttgart	SC	0
1. Dez	Dänemark	30:26 (15:13)	Hannover	EM-Q	3
3. Dez	Dänemark	22:24 (10:11)	Randers	EM-Q	1

1996

7. Mai	Ägypten	23:18 (10:7)	Neuhof	F	0
8. Mai	Ägypten	23:22 (10:10)	Bad Hersfeld	F	1
11. Mai	Schweden	25:26 (13:12)	Helsingborg (SWE)	F	1

17. Mai	Frankreich	22:25 (9:11)	Metz (FRA)	F	3
24. Mai	Jugoslawien	22:23 (9:10)	Ciudad Real (ESP)	EM	0
25. Mai	Kroatien	21:26 (10:11)	Ciudad Real (ESP)	EM	0
26. Mai	Ungarn	24:24 (11:12)	Ciudad Real (ESP)	EM	0
28. Mai	Russland	18:22 (9:11)	Sevilla (ESP)	EM	1
29. Mai	Slowenien	25:16 (10:5)	Sevilla (ESP)	EM	1
31. Mai	Frankreich	21:24 (9:13)	Ciudad Real (ESP)	EM	0
29. Jun	Kroatien	28:23 (13:11)	Baunatal	F	1
30. Jun	Kroatien	23:30 (16:13)	Hanau	F	2
5. Jul	Frankreich	22:23 (8:12)	Bern (CHE)	VLT	1
6. Jul	Schweiz	22:21 (13:9)	St. Gallen (CHE)	VLT	0
7. Jul	Weißrussland	26:19 (13:13)	Zürich (CHE)	VLT	1
12. Jul	Schweden	26:19 (17:11)	Wilhelmshaven	F	1
13. Jul	Schweden	30:24 (11:12)	Fredenbeck	F	3
24. Jul	Brasilien	30:20 (13:7)	Atlanta (USA)	Oly	6
25. Jul	Spanien	20:22 (10:11)	Atlanta (USA)	Oly	0
27. Jul	Ägypten	22:24 (9:11)	Atlanta (USA)	Oly	0
29. Jul	Algerien	25:23 (13:12)	Atlanta (USA)	Oly	1
31. Jul	Frankreich	24:23 (12:10)	Atlanta (USA)	Oly	0
2. Aug	Schweiz	23:16 (12:10)	Atlanta (USA)	Oly	0

1997

25. Sep	Spanien	16:25 (8:10)	Leganés (ESP)	EM-Q	0
28. Sep	Spanien	23:23 (10:12)	Hannover	EM-Q	0
31. Okt	Norwegen	24:14 (12:4)	Hamburg	EM-Q	0
2. Nov	Norwegen	23:18 (11:7)	Oslo (NOR)	EM-Q	0
26. Nov	Slowakei	28:18 (15:8)	Bratislava (SVK)	EM-Q	0
29. Nov	Slowakei	30:25 (13:11)	Dessau	EM-Q	4

1998

10. Mrz	Rumänien	23:16 (9:12)	Ludwigshafen/Rhein	SC	0
11. Mrz	Kroatien	23:23 (13:14)	Ludwigshafen/Rhein	SC	0
13. Mrz	Frankreich	27:22 (14:9)	Karlsruhe	SC	1
14. Mrz	Russland	24:19 (11:10)	Stuttgart	SC	0
15. Mrz	Frankreich	19:18 (8:11)	Stuttgart	SC	3

9. Mai	Ungarn	21:23 (10:11)	Erlangen	F	1
10. Mai	Ungarn	23:19 (11:8)	Würzburg	F	2
16. Mai	Tschechien	28:23 (17:15)	Eisenach	F	0
17. Mai	Tschechien	24:23 (11:12)	Baunatal	F	1
21. Mai	Tunesien	28:21 (15:11)	Paris (FRA)	TdP	0
22. Mai	Japan	25:11 (13:6)	Paris (FRA)	TdP	2
23. Mai	Frankreich	25:25 (13:11)	Paris (FRA)	TdP	0
29. Mai	Schweden	20:21 (12:10)	Bozen (ITA)	EM	0
30. Mai	Italien	26:18 (12:9)	Bozen (ITA)	EM	1
1. Jun	Jugoslawien	29:22 (14:11)	Bozen (ITA)	EM	0
3. Jun	Frankreich	30:23 (13:11)	Meran (ITA)	EM	1
4. Jun	Litauen	20:18 (9:5)	Meran (ITA)	EM	2
6. Jun	Spanien	22:29 (9:13)	Meran (ITA)	EM	2
7. Jun	Russland	30:28 (25:25)	Bozen (ITA)	EM	0
26. Sep	Jugoslawien	21:21 (10:11)	Nordhorn	F	2
27. Sep	Jugoslawien	25:22 (13:10)	Wilhelmshaven	F	0
24. Okt	Schweden	27:30 (11:12)	Dessau	F	1
25. Okt	Schweden	28:28 (11:13)	Dresden	F	0
27. Nov	Ägypten	37:21 (20:10)	Hannover	F	5
28. Nov	Ägypten	28:20 (12:11)	Bremen	F	1

1999

13. Mrz	Russland	23:25 (12:10)	Bonn	F	0
15. Mrz	Norwegen	25:22 (14:11)	Drammen (NOR)	WC	4
16. Mrz	Russland	30:27 (16:12)	Lilleström (NOR)	WC	3
19. Mrz	Schweden	21:19 (10:8)	Skövde (SWE)	WC	1
20. Mrz	Russland	23:22 (13:8)	Göteborg (SWE)	WC	0
8. Mai	Kroatien	26:22 (12:7)	Karlsruhe	F	1
9. Mai	Kroatien	28:16 (13:7)	Ludwigsburg	F	1
15. Mai	Ungarn	23:15 (12:8)	Kalocsa (HUN)	F	1
16. Mai	Ungarn	25:19 (10:12)	Dunaújváros (HUN)	F	0
22. Mai	Dänemark	20:13 (9:7)	Schwerin	F	0
23. Mai	Dänemark	25:24 (14:12)	Neumünster	F	1
2. Jun	Kuba	34:25 (15:13)	Kairo (EGY)	WM	1
3. Jun	Mazedonien	36:25 (16:9)	Kairo (EGY)	WM	0

4. Jun	Brasilien	26:13 (15:7)	Kairo (EGY)	WM	2
6. Jun	Ägypten	23:18 (9:7)	Kairo (EGY)	WM	0
7. Jun	Saudi-Arabien	27:19 (13:10)	Kairo (EGY)	WM	0
9. Jun	Algerien	28:17 (14:9)	Kairo (EGY)	WM	0
11. Jun	Jugoslawien	21:22 (12:10)	Kairo (EGY)	WM	0
13. Jun	Kuba	23:22 (12:11)	Kairo (EGY)	WM	1
14. Jun	Frankreich	26:21 (14:10)	Kairo (EGY)	WM	1
7. Sep	Rumänien	21:18 (12:8)	Biberach/Riß	F	1
11. Sep	Polen	26:16 (13:7)	Głogów (POL)	EM-Q	0
19. Sep	Polen	30:25 (14:7)	Riesa	EM-Q	2
22. Okt	Kroatien	24:24 (13:12)	Berlin	SC	2
23. Okt	Schweden	21:24 (11:12)	Berlin	SC	2
24. Okt	Frankreich	20:12 (10:7)	Berlin	SC	0

2000

7. Jan	Portugal	28:25 (15:11)	Gran Canaria (ESP)	VLT	6
8. Jan	Slowenien	26:30 (14:16)	Gran Canaria (ESP)	VLT	1
9. Jan	Spanien	27:29 (13:12)	Gran Canaria (ESP)	VLT	2
14. Jan	Spanien	23:25 (13:16)	Hannover	F	2
16. Jan	Spanien	27:24 (14:11)	Minden	F	1
21. Jan	Ukraine	24:24 (14:11)	Zagreb (CRO)	EM	4
22. Jan	Kroatien	20:21 (12:11)	Zagreb (CRO)	EM	0
23. Jan	Frankreich	19:25 (9:15)	Zagreb (CRO)	EM	0
25. Jan	Norwegen	22:22 (11:10)	Zagreb (CRO)	EM	2
27. Jan	Spanien	25:27 (9:12)	Rijeka (CRO)	EM	4
29. Jan	Dänemark	19:17 (8:10)	Rijeka (CRO)	EM	1
10. Mrz	Jugoslawien	24:20 (10:10)	Dessau	F	4
12. Mrz	Jugoslawien	21:13 (9:9)	Rotenburg/Fulda	F	0
29. Mai	Schweiz	26:27 (13:14)	Freudenstadt	F	1
4. Jun	Polen	22:23 (14:12)	Bydgoszcz (POL)	WM-Q	0
9. Jun	Polen	27:20 (13:8)	Lübeck	WM-Q	0
30. Aug	Russland	25:25 (12:13)	Straßburg (FRA)	ET	1
31. Aug	Frankreich	21:19 (11:6)	Straßburg (FRA)	ET	0
2. Sep	Portugal	23:24 (13:11)	Straßburg (FRA)	ET	1
3. Sep	Frankreich	21:21 (14:12)	Homburg	F	0

16. Sep	Kuba	30:22 (15:11)	Sydney (AUS)	Oly	1
18. Sep	Südkorea	24:24 (11:13)	Sydney (AUS)	Oly	0
20. Sep	Jugoslawien	28:22 (13:11)	Sydney (AUS)	Oly	0
22. Sep	Russland	25:23 (11:15)	Sydney (AUS)	Oly	0
24. Sep	Ägypten	21:22 (11:8)	Sydney (AUS)	Oly	0
26. Sep	Spanien	26:27 (13:11)	Sydney (AUS)	Oly	0
29. Sep	Ägypten	24:18 (10:9)	Sydney (AUS)	Oly	2
30. Sep	Frankreich	25:22 (11:11)	Sydney (AUS)	Oly	0

2001

13. Mrz	Norwegen	23:16 (10:8)	Rostock	F	0
3. Jun	Slowakei	25:20 (13:8)	Michalovce (SVK)	EM-Q	0
9. Jun	Slowakei	27:25 (17:11)	Dortmund	EM-Q	0
25. Sep	Dänemark	21:23 (11:14)	Trollhättan (SWE)	VLT	1
26. Sep	Norwegen	21:22 (10:10)	Skövde (SWE)	VLT	0
31. Okt	Dänemark	25:23 (12:12)	Riesa	SC	0
2. Nov	Russland	27:21 (12:10)	Riesa	SC	0
3. Nov	Kroatien	27:26 (12:13)	Riesa	SC	0
4. Nov	Russland	30:20 (15:7)	Riesa	SC	0

2002

4. Jan	Tschechien	32:19 (14:11)	Balingen	VC	0
6. Jan	Schweiz	30:26 (15:13)	Balingen	VC	0
12. Jan	Island	24:28 (8:11)	Reykjavík (ISL)	F	0
13. Jan	Island	24:28 (13:12)	Reykjavík (ISL)	F	0
18. Jan	Russland	26:32 (11:13)	Nordhorn	F	0
20. Jan	Dänemark	24:20 (11:10)	Flensburg	F	0
25. Jan	Frankreich	15:15 (8:8)	Jönköping (SWE)	EM	0
26. Jan	Kroatien	26:21 (13:9)	Jönköping (SWE)	EM	0
27. Jan	Jugoslawien	27:21 (14:11)	Jönköping (SWE)	EM	0
29. Jan	Spanien	19:18 (8:9)	Västerås (SWE)	EM	0
30. Jan	Slowenien	31:28 (12:12)	Västerås (SWE)	EM	0
31. Jan	Island	24:29 (11:15)	Västerås (SWE)	EM	1
2. Feb	Dänemark	28:23 (13:12)	Stockholm (SWE)	EM-HF	0
3. Feb	Schweden	31:33 (26:26)	Stockholm (SWE)	EM-Fi	0

24. Sep	Schweden	31:31 (17:13)	Hannover	F	0
29. Okt	Jugoslawien	31:24 (17:12)	Borlänge (SWE)	WC	0
30. Okt	Island	27:20 (11:10)	Ludvika (SWE)	WC	0
31. Okt	Russland	31:28 (14:16)	Borlänge (SWE)	WC	1
2. Nov	Dänemark	30:32 (28:28)	Göteborg (SWE)	WC	0
3. Nov	Russland	35:34 (30:30)	Göteborg (SWE)	WC	0

2003

3. Jan	Tschechien	34:27 (20:14)	Stuttgart	uV	1
5. Jan	Ungarn	26:25 (14:14)	Stuttgart	uV	0
9. Jan	Tunesien	27:26 (12:13)	Metz (FRA)	F	2
10. Jan	Japan	29:18 (15:11)	Metz (FRA)	F	0
11. Jan	Frankreich	24:25 (13:10)	Metz (FRA)	F	1
17. Jan	Russland	34:27 (19:12)	Dortmund	F	0
20. Jan	Katar	40:17 (23:8)	Viseu (POR)	WM	0
21. Jan	Australien	46:16 (24:6)	Viseu (POR)	WM	0l
23. Jan	Grönland	34:20 (20:11)	Viseu (POR)	WM	1
25. Jan	Portugal	37:29 (19:15)	Viseu (POR)	WM	0
26. Jan	Island	34:29 (20:16)	Viseu (POR)	WM	0
29. Jan	Tunesien	30:21 (14:13)	Póvoa de V. (POR)	WM	1
30. Jan	Jugoslawien	31:31 (15:16)	Póvoa de V. (POR)	WM	1
1. Feb	Frankreich	23:22 (11:10)	Lissabon (POR)	WM	0
2. Feb	Kroatien	31:34 (18:20)	Lissabon (POR)	WM	0
19. Mrz	Frankreich	29:29 (15:15)	Mülhausen (FRA)	F	0
22. Mrz	Island	39:34 (23:17)	Berlin	F	0
30. Mai	Norwegen	33:27 (16:12)	Hannover	F	0
31. Mai	Norwegen	28:27 (12:11)	Bielefeld	F	0
23. Sep	Serbien/Mon.	28:22 (17:12)	Hamburg	F	0
25. Nov	Österreich	26:20 (14:9)	Linz (AUT)	F	0

2004

4. Jan	Österreich	33:20 (14:7)	Augsburg	F	1
9. Jan	Frankreich	21:29 (12:14)	Tschechow (RUS)	SLT	0
10. Jan	Ägypten	23:26 (12:11)	Tschechow (RUS)	SLT	1
11. Jan	Russland	29:24 (12:13)	Tschechow (RUS)	SLT	0

16. Jan	Russland	25:27 (12:15)	Hannover	F	0
18. Jan	Russland	29:20 (15:9)	Dortmund	F	0
22. Jan	Serbien/Montene.	26:28 (10:12)	Koper (SVK)	EM	0
24. Jan	Polen	41:32 (21:13)	Koper (SVK)	EM	0
25. Jan	Frankreich	29:29 (14:13)	Koper (SVK)	EM	0
27. Jan	Tschechien	37:27 (19:12)	Ljubljana (SVK)	EM	0
28. Jan	Slowenien	31:24 (18:10)	Ljubljana (SVK)	EM	0
29. Jan	Ungarn	28:23 (16:13)	Ljubljana (SVK)	EM	0
31. Jan	Dänemark	22:20 (11:11)	Ljubljana (SVK)	EM	0
1. Feb	Slowenien	30:25 (16:10)	Ljubljana (SVK)	EM	0
31. Jul	Island	27:27 (14:12)	Schwerin	F	0
1. Aug	Island	32:25 (18:13)	Rostock	F	0
6. Aug	Slowenien	33:27 (17:13)	Stuttgart	F	0
8. Aug	Slowenien	30:28 (16:17)	Frankfurt/Main	F	0
14. Aug	Griechenland	28:18 (15:8)	Athen (GRC)	Oly	0
16. Aug	Ägypten	26:14 (14:5)	Athen (GRC)	Oly	0
18. Aug	Brasilien	34:21 (18:12)	Athen (GRC)	Oly	0
20. Aug	Ungarn	29:30 (14:17)	Athen (GRC)	Oly	0
22. Aug	Frankreich	22:27 (11:12)	Athen (GRC)	Oly	0
24. Aug	Spanien	32:30 (30:30)	Athen (GRC)	Oly	0
27. Aug	Russland	21:15 (9:10)	Athen (GRC)	Oly	0
29. Aug	Kroatien	24:26 (12:11)	Athen (GRC)	Oly	0
19. Okt	Schweden	31:32 (19:18)	Kiel	F	2

Legende

WM	=	Weltmeisterschaft
EM	=	Europameisterschaft
B-WM	=	B-Weltmeisterschaft
C-WM	=	C-Weltmeisterschaft
Oly	=	Olympische Spiele
WM-Q	=	WM-Qualifikation
EM-Q	=	EM-Qualifikation
SC	=	Super-Cup
PC	=	Polar-Cup
WC	=	World-Cup
SLT	=	Sechs-Länder-Turnier
VLT	=	Vier-Länder-Turnier
DLT	=	Drei-Länder-Turnier
VOT	=	Vor-Olympisches Turnier
F	=	Freundschafts- oder Test-Länderspiel
TdP	=	Tournoi de Paris
ET	=	Eurotournoi
VC	=	Volksbank-Cup
UV	=	uniVersa-Cup

Literatur:

Archiv THW Kiel, ARD-Sportschau, ZDF-Sportreportage, Bild-Zeitung, Frankfurter Allgemeine Zeitung, Hamburger Morgenpost, Handballwoche, Kieler Nachrichten, Kicker Sportmagazin, Mindener Tageblatt, Spiegel, Sport Bild, Süddeutsche, Schleswig-Holsteinischer Zeitungsverlag (shz), Tagesspiegel, WDR-Sport.

Autoren/Buchveröffentlichungen

Erik Eggers: THW Kiel Schwarz und Weiß; THW Kiel Die Zebras; Mythos78; VfL Gummersbach Die Chronik.

Frank Schneller: Heiner Brand INTEAM; In der Hitze des Nordens.

Hans Werheid: Spitzenmannschaft des Welthandballs, Band IV.

Helmut Laaß und Stephan Müller: Deutsche Handball-Länderspiele Namen, Daten und Zahlen.

Über die Autoren

KLAUS-DIETER PETERSEN, geboren 1968 in Kleefeld, dem 4. Stadtbezirk von Hannover, spielt insgesamt 15 Jahre in der Handball-Bundesliga. Er gewinnt mit dem THW Kiel acht Mal die deutsche Meisterschaft. Sein Konterfei hängt als Dank für die erbrachte Leistung unter der Hallendecke der Kieler Arena. Für die Nationalmannschaft absolviert er 340 Länderspiele und nimmt an vier Olympischen Spielen teil. Heute arbeitet er im Nachwuchsleistungszentrum des THW Kiel.

JÖRG LÜHN, geboren 1963 in Neumünster, ist freier Sportjournalist mit dem Fachgebiet Handball für einige Tageszeitungen und Magazine. Er war selbst aktiver Handballer, lizenzierter Trainer. Das Geschehen rund um den THW Kiel verfolgt er bereits seit 1993 und damit den Anfängen von Klaus-Dieter Petersen in Kiel. Bei vielen Handballspielen und weiteren sportiven Ereignissen ist der Inhaber der Agentur Holsteinoffice außerdem als Fotograf im Einsatz. Weitere Schwerpunkte seines Schaffens sind Fußball und Reitsport.